EU DECLARO

JOEL OSTEEN

EU DECLARO

31 Promessas de Vitória Para Sua Vida

1.ª edição
Belo Horizonte

Diretor
Lester Bello

Autor
Joel Osteen

Título Original
I Declare, 31 Promises To Speak
Over Your Life

Tradução
Elizabeth Jany/Idiomas & Cia

Revisão
Ana Lacerda, Luísa Calmon,
Fernanda Silveira e Daniele Ferreira/
Idiomas & Cia

Diagramação
Julio Fado

Design capa (adaptação)
Fernando Rezende

Impressão e Acabamento
Promove Artes Gráficas

Rua Vera Lucia Pereira, 122
Bairro Goiânia, CEP 31.950-060
Belo Horizonte/MG - Brasil
contato@belloeditora.com
www.belloeditora.com

Primeira edição — Agosto de 2014

Exceto em caso de indicação em contrário, todas as citações bíblicas foram extraídas da Bíblia Sagrada *The Amplified Bible* (AMP) e traduzidas livremente em virtude da inexistência dessa versão em língua portuguesa. Outras versões utilizadas: ARA (Almeida Revista e Atualizada, SBB), NVI (Nova Versão Internacional, Editora Vida).

Osteen, Joel
O85 Eu declaro: 31 promessas de vitória para sua vida / Joel Osteen; tradução de Elizabeth Jany / Idiomas & Cia. – Belo Horizonte: Bello Publicações, 2014.
194p.
Título original: I declare

ISBN: 978-85-8321-010-8

1. Auto-ajuda. 2. Palavras positivas. I. Título.
CDD: 158.1 CDU: 159.9

Elaborada por: Maria Aparecida Costa Duarte CRB/6-1047

INTRODUÇÃO

Nossas palavras têm poder criativo. Sempre que falamos algo, seja bom ou ruim, damos vida ao que dizemos. Muitas pessoas dizem coisas negativas sobre si mesmas, sobre suas famílias e seu futuro. Elas dizem coisas como: "Nunca vou ser bem-sucedido." "Esta doença está me consumindo." "Os negócios não vão bem, acho que vamos ter de fechar as portas." "A temporada de gripe está chegando. Provavelmente vou ficar doente."

Essas pessoas não percebem que estão profetizando o próprio futuro. A Bíblia diz: "Comeremos do fruto de nossas palavras." Isso significa que receberemos exatamente o que nossos lábios têm declarado.

O segredo ao abrir seus lábios é: suas palavras precisam estar de acordo com aquilo que você quer para sua vida. Você não pode falar em derrota e esperar ter vitória. Você não pode falar em privação e esperar ter abundância. Você irá produzir o que diz. Se deseja saber o que vai acontecer nos próximos cinco anos, basta ouvir o que você tem dito a seu respeito. Com as nossas palavras, podemos abençoar nosso futuro ou amaldiçoá-lo. É por isso que nunca devemos dizer: "Não sou um bom pai." "Sou feio." "Sou desajeitado." "Não consigo fazer nada direito." "Provavelmente serei demitido."

Não fale assim! Esses pensamentos até podem vir à sua mente, mas não cometa o erro de verbalizá-los. Quando você os expressa, permite que eles criem raízes. Em inúmeros momentos penso a respeito de algo negativo e, quando estou prestes a dizê-lo, me dou conta do que vou fazer e penso: *Não vou dizer isso. Vou calar a boca. Não vou declarar derrota sobre o meu futuro nem fracasso sobre a minha vida. Vou reverter essa situação e falar favoravelmente a respeito do meu futuro. Vou declarar: "Sou abençoado. Sou forte. Sou saudável. Este será um grande ano".* Quando faz isso, você abençoa o seu futuro.

Escrevi neste livro trinta e uma declarações de bênçãos para que você possa abençoar seu futuro um dia de cada vez, um mês de cada vez. Minha esperança é que você dedique alguns breves momentos todos os dias para abençoar seu futuro com uma dessas declarações positivas, inspiradoras e encorajadoras. Se você puder ler uma declaração e uma história a cada dia, creio que estará se posicionando para receber as bênçãos de Deus.

Quando estávamos nos preparando para reformar o antigo Compaq Center, em Houston, para que ele pudesse se tornar a nova Igreja Lakewood, nossos arquitetos nos disseram que o projeto iria custar milhões a mais do que tínhamos estimado originalmente. Fiquei chocado com os valores que nos informaram. Depois de me recuperar do choque, pensei: *Isso é impossível. Nunca conseguirei arrecadar tanto dinheiro. Não existe a menor possibilidade de isso acontecer.*

Esses eram os meus pensamentos, mas eu sabia que não devia verbalizá-los. Então, minha atitude foi pensar: *Se eu for profetizar algo a respeito do meu futuro, quero profetizar coisas boas. Não vou dizer o que sinto. Não vou dizer o que as coisas aparentam ser no mundo real, mas vou dizer o que Deus diz sobre mim.*

Minha declaração foi: "Deus está suprindo todas as nossas necessidades. Ele é Jeová-Jirê; o Senhor nosso Provedor. Esse projeto pode parecer impossível, mas sei que Deus pode fazer o impossível. Quando Deus dá a visão, Ele também dá a provisão".

Fiz questão de sempre relatar os acontecimentos de forma vitoriosa e, no fim, vimos esse sonho se tornar realidade. Provérbios 18:21 diz: "A língua tem poder sobre a vida e sobre a morte". O que você tem dito acerca do seu futuro? O que você tem falado sobre sua família? E sobre suas finanças? Certifique-se de que as palavras que saem da sua boca estejam de acordo com aquilo que você quer para a sua vida.

Se você é um fã de beisebol, provavelmente sabe quem foi José Lima. Durante a década de 1990 ele jogou como arremessador pelo Houston Astros. Houve uma temporada na qual ele venceu vinte e um jogos e foi considerado um dos melhores arremessadores da Liga. Mas algo interessante aconteceu. Quando o Astros mudou-se do Astrodome para seu novo estádio de beisebol no centro da cidade, o muro no campo esquerdo ficava muito mais próximo que o muro do Astrodome. Isso, naturalmente, favorece os rebatedores e dificulta a vida dos arremessadores.

A primeira vez que José Lima foi ao novo estádio, ele andou até o monte. Quando olhou para o campo esquerdo e viu a proximidade do muro, suas primeiras palavras foram, "nunca vou conseguir lançar daqui. O muro fica muito perto".

Você sabia que, depois desse dia, ele passou de vinte e um jogos invictos para dezesseis jogos sem nenhuma vitória? Foi uma das maiores reviravoltas da história do time de beisebol dos Astros. O que aconteceu? Ele profetizou acerca de seu futuro. Os pensamentos negativos vieram, mas, em vez de ignorá-los, ele cometeu o erro de verbalizá-los. Ao falar, você dá vida à sua fé. Como Provérbios 6:2 diz: "Ficamos enredados pelas palavras que saem de nossa boca".

Quando eu era menino, havia um senhor que era o dono da empresa responsável por tomar conta do terreno de nossa igreja. Ele era um homem muito simpático, amável e cordial. Mas ele sempre tinha um discurso negativo. Toda vez que conversávamos, ele me dizia o quanto a vida era difícil, que os negócios iam mal e que seu equipamento estava em péssimo estado. Ele estava tendo problemas em casa. Um de seus filhos aprontava o tempo todo. Nós nos encontrávamos duas vezes por semana durante, provavelmente, dez anos. Não consigo me lembrar de uma única vez na qual seu discurso não tenha sido negativo. E não estou exagerando! A questão é que ele estava profetizando derrota, amaldiçoando seu futuro. Ele não percebia que estava sendo enredado pelas palavras de sua boca.

Infelizmente, quando estava com quase cinquenta anos de idade, esse senhor ficou muito doente. Ele passou os dois ou três anos seguintes entrando e saindo de hospitais. Por fim, teve uma morte muito triste e solitária. Não pude deixar de pensar no fato de ele ter profetizado esse triste fim a sua vida inteira porque estava sempre falando que nunca viveria o suficiente para se aposentar. Ele recebeu o que estava antecipando.

Você pode estar vivendo um momento difícil agora, mas deixe que eu o desafie: não use suas palavras para descrever a situação. Use suas palavras para mudar a situação! Utilize este livro como seu guia para declarar a vitória a cada dia. Declare saúde. Declare favor. Declare abundância.

Você dá vida à sua fé por intermédio das suas palavras. Ao longo do dia deveríamos andar por aí dizendo: "Eu tenho o favor de Deus. Posso fazer todas as coisas em Cristo. Sou abençoado. Sou forte. Sou saudável". Ao fazer isso, você está simplesmente declarando bênçãos sobre a sua vida. Você está falando de forma favorável a respeito do seu futuro. Se acordar de manhã se sentindo para baixo, nunca diga: "Este será um dia ruim." "Não quero ir para o trabalho." "Estou cansado de lidar com meus filhos." Não faça isso, mas levante-se e diga: "Este será um grande dia. Estou animado em relação ao meu futuro. Algo bom está prestes a acontecer comigo."

Suas palavras precisam estar de acordo com aquilo que deseja para a sua vida. Talvez você esteja enfrentando uma decepção. Um relacionamento que não deu certo. Uma promoção que não aconteceu. Mas em vez de reclamar, dizendo: "Bem, eu já devia saber. Nunca acontece nada de bom comigo. Não tenho sorte", sua declaração deveria ser: "Sei que quando uma porta se fecha Deus abre outra. O que era para o meu mal Deus irá usar a meu favor. Não apenas vou sair dessa, como também me tornarei uma pessoa melhor quando tudo passar".

Relate os acontecimentos de forma vitoriosa.

Eis o que aprendi: acreditamos mais no que dizemos a nosso respeito do que naquilo que os outros dizem. É por isso que devemos ter o hábito de dizer: "Sou abençoado. Sou saudável. Sou forte. Sou valioso. Sou talentoso. Tenho um futuro brilhante". Essas palavras saem de nossa boca e vão direto para os nossos ouvidos. Com o passar do tempo, elas criarão essa mesma imagem em nosso interior.

Li a respeito de um médico europeu que tinha alguns pacientes muito doentes. Eles haviam passado por tratamentos convencionais, mas a saúde deles não apresentava melhora. Então o médico lhes prescreveu algo muito incomum: eles deveriam dizer três ou quatro vezes a cada hora, "estou ficando cada vez melhor, todos os dias, em todos os aspectos".

Ao longo dos meses seguintes, os resultados foram notáveis. Muitos desses pacientes não haviam apresentado melhora fazendo uso de medicamentos convencionais, mas subitamente começaram a se sentir cada vez melhor.

O que aconteceu? Conforme essas pessoas ouviam a si mesmas dizendo várias vezes: "Estou ficando melhor. Estou melhorando. Minha saúde está voltando", essas palavras começaram a criar uma nova imagem em seu interior. Em pouco tempo, elas passaram a se ver como pessoas fortes, saudáveis e completas. Se você consegue estabelecer essa imagem no seu interior, então Deus pode trazê-la para o exterior. Você poderá ver sua vida alcançar um nível totalmente novo, se simplesmente der um basta nas palavras negativas, passando a falar palavras de vitória e fé acerca do seu futuro.

Conheço pessoas que estão sempre cansadas e esgotadas. Elas dizem constantemente: "Estou exausto. Simplesmente não tenho energia para nada".

Elas repetiram isso tantas vezes, que acabou se tornando uma realidade. Sabia que quanto mais falamos sobre determinada coisa, mais a atraímos? É como se a estivéssemos alimentando. Se ao levantar pela manhã você só fala sobre como está se sentindo, o quanto está cansado e o fato de que não vai conseguir fazer nada, está derrotando a si mesmo. Está cavando o próprio buraco.

Não fale sobre o problema. Fale sobre a solução.

A Bíblia diz: "Diga o fraco: eu sou forte". Perceba que ela não diz: "Fale o fraco sobre a sua fraqueza. Chame cinco amigos para que discutam a respeito das fraquezas uns dos outros". "Reclame o fraco de sua fraqueza." Não! A Bíblia diz: "Diga o fraco exatamente o oposto de como se sente".

Em outras palavras, não fale sobre como você está. Fale sobre como deseja estar. Se ao levantar da cama você se sentir cansado e letárgico, em vez de reclamar a plenos pulmões, declare: "Eu sou forte no Senhor. Estou cheio de energia. Minha força está sendo renovada. Este será um grande dia".

Fazer isso não vai apenas mudar a maneira como você se sente, mas também a sua atitude. Você não vai sair para enfrentar o dia com mentalidade de vítima, fraco e derrotado, mas terá a mentalidade de vencedor, cheio de disposição, com um sorriso em seu rosto e com a cabeça erguida. Essas palavras podem literalmente ajudar a levantar seu ânimo e fazer com que você veja a si mesmo e às suas circunstâncias de uma maneira totalmente nova.

Você é um ser único, uma obra-prima. Você é um bem muito valioso. Ao acordar de manhã e se olhar no espelho, em vez de ficar deprimido, em vez de dizer: "Ah, cara, como envelheci. Olhe só esses cabelos brancos e essas rugas", você precisa sorrir e dizer: "Bom dia, coisa linda. Bom dia, bonitão. Bom dia, filho do Deus Altíssimo, abençoado, próspero, bem-sucedido, talentoso, criativo, confiante, seguro, disciplinado, focado e por Ele favorecido". Conquiste isso no seu interior. Expresse fé no seu futuro!

EU DECLARO

DIA 1

EU DECLARO as bênçãos incríveis de Deus sobre a minha vida. Verei uma explosão da bondade de Deus, um crescimento inesperado em todas as áreas da minha vida. Irei experimentar a suprema grandeza da graça de Deus. Ele me levará a um nível mais alto do que jamais sonhei. Bênçãos explosivas estão vindo em minha direção. Esta é a minha declaração.

Um amigo queria frequentar uma universidade de renome, mas para isso precisava de uma bolsa de estudos. Ele havia se inscrito muitos meses antes de o ano letivo começar. Apesar de suas notas serem boas o suficiente para ingressar na universidade, ele foi informado de que não havia mais bolsas disponíveis. Então, ele se matriculou em um curso de formação técnica.

Aparentemente, seu sonho de ir para uma renomada universidade tinha chegado ao fim. Parecia que a situação era permanente. Todos os fatos diziam que não iria acontecer. Mas apenas algumas semanas antes de começarem as aulas, ele recebeu uma ligação da secretaria de bolsas dizendo que havia surgido uma oportunidade. Em vez de lhe oferecerem a bolsa parcial de dois anos que ele havia solicitado, ofereceram-lhe uma bolsa de estudos integral por quatro anos. Isso é uma bênção explosiva!

Você pode pensar que a sua situação é permanente. Você está nessa situação há muito tempo. Não consegue ver como poderia ir mais longe. Todos os fatos dizem que é impossível. Mas hoje Deus está dizendo: "Você precisa estar pronto. A posição em que você está não é permanente. Há bênçãos explosivas indo ao seu encontro. Você terá um aumento de salário além do esperado. Vou abençoá-lo nas suas finanças, dando-lhe um rendimento além do normal. Vou mudar as coisas em sua vida em um instante".

É assim que a palavra *explosão* é definida. Significa "um aumento inesperado em todas as direções". Isso é o que Deus quer fazer por cada um de nós. De repente. Quando você menos esperar. É fora do comum e não é pouca coisa. Não é medíocre. É um aumento, um crescimento em todas as áreas. Isso significa que é algo tão incrível que você sabe que só poder ser fruto da mão de Deus.

Foi isso que aconteceu com certo cavalheiro. Ele foi até a igreja um tempo atrás trazendo uma grande doação para o ministério. Era o seu dízimo. Ele disse ter recebido uma herança de um familiar que não conhecia. Na verdade, ele nem mesmo sabia que eles eram parentes, mas aquele homem deixou para ele uma herança que mudou completamente a vida de sua família. Ele não apenas quitou sua casa, como também as de outras pessoas.

Não sei quanto a vocês, mas creio que um parente distante como esse vai aparecer. Eu creio em bênçãos explosivas.

O apóstolo Paulo falou sobre isso em Efésios 2:7. Ele disse que iríamos ver "a ilimitada, imensurável e insuperável grandeza da graça de Deus". Ele estava dizendo que iríamos ver a graça como nunca a havíamos visto antes.

Eu creio em bênçãos explosivas.

No mundo real, pode parecer que você nunca irá realizar seus sonhos. Você já calculou do quanto precisa para quitar sua dívida e sabe que é impossível pagar por ela. Você já fez todas as contas, mas Deus está dizendo: "Você não viu as Minhas bênçãos explosivas. Você ainda não viu a suprema grandeza de Minha graça. Tenho bênçãos que irão catapultá-lo anos à frente. Tenho para você um crescimento que vai além de seus cálculos".

Aprendi que Deus nem sempre tem para nós um crescimento normal. Há momentos nos quais Ele nos faz crescer pouco a pouco, por isso temos de ser fiéis no dia a dia. Mas quando se trata de uma dessas bênçãos *explosivas*, em vez de ir de 7 para 9, Deus irá levá-lo de 7 para 70. Isso é uma multiplicação gigantesca!

DIA 2

EU DECLARO que experimentarei a fidelidade de Deus. Não irei me preocupar. Não irei duvidar. Vou manter a minha confiança nele, sabendo que Ele não irá me decepcionar. Verei nascer cada promessa que Deus colocar no meu coração e vou me tornar tudo o que Deus me criou para ser. Esta é a minha declaração.

Cada um de nós tem sonhos e objetivos no coração. Há promessas pelas quais esperamos. Talvez você creia que verá um de seus filhos ser transformado, ou acredite que ficará saudável novamente, que irá iniciar um negócio ou exercer um ministério. No fundo, você sabe que Deus tem falado ao seu espírito. Ele gerou essa expectativa no seu interior. Muitas vezes, entretanto, por termos de esperar por muito tempo ou por já termos vivido uma decepção, deixamos a negatividade nos envolver e começamos a pensar que nossos sonhos nunca irão se concretizar.

A razão pela qual muitas pessoas não veem as promessas de Deus se cumprirem é porque se sentem desencorajadas e desistem rápido demais. Mas só porque você não está vendo nada acontecer, isso não significa que Deus não está operando. Só porque está demorando muito, não significa que Deus não sabe o que fazer. Sua mente está dizendo: *acabou*. Suas emoções estão dizendo: *não tem jeito*. As circunstâncias parecem impossíveis. Mas nada disso significa que Deus não vai fazer o que prometeu.

Só por que você não está vendo nada acontecer,
isso não significa que Deus não está operando.

Deus é fiel à Sua palavra. Todas as Suas promessas são "Sim" e "Amém". Isso significa que se você fizer a sua parte, acreditando ainda que pareça impossível e não deixando que sua mente, suas emoções ou as outras pessoas o façam desistir, Deus garante que no devido tempo e no momento certo irá transformar a promessa em realidade. Talvez não aconteça do jeito nem no tempo que você espera, mas Deus é um Deus fiel. Irá acontecer.

Ele não irá decepcioná-lo. Deus nos deu essa garantia em Hebreus 13: "Nunca o deixarei, nunca o abandonarei. Podemos, pois, dizer com confiança: 'O Senhor é o meu ajudador, não temerei. O que me podem fazer os homens?'"

Você precisa deixar esta verdade criar raízes no seu interior: "Não vou decepcioná-lo." Deus está dizendo: "Tudo vai dar certo. Estou no controle de todas as coisas. Sei o que diz o diagnóstico médico. Sei qual é a sua situação financeira. Vejo as pessoas se levantando contra você. Sei quão grandes são os seus sonhos. E ouça-me claramente, não vou deixá-lo. Não vou desapontá-lo. Não deixarei esse problema subjugá-lo. Farei de você um vencedor."

Deus está dizendo que se mantivermos a nossa confiança nele, Ele fará sempre um caminho, ainda que aparentemente não exista um. Ele vai lhe dar força para lutar cada batalha, sabedoria para tomar cada decisão e paz que excede todo o entendimento. Deus irá justificá-lo pelos erros cometidos e recompensá-lo pelas situações injustas. Ele prometeu que não apenas tornará seus sonhos realidade, mas também concederá os desejos secretos do seu coração.

Ouse confiar nele. Volte para aquele lugar de paz. Deixe de lado a preocupação e o estresse, as indagações sobre o que vai ou não acontecer. Deus tem você na palma da Sua mão. Ele nunca fracassou antes, e a boa notícia é que Ele não vai começar agora.

DIA 3

EU DECLARO que tenho a graça
de que preciso para hoje. Estou
cheio de poder, força e determinação. Nada
do que eu enfrentar será demais
para mim. Vou superar todos os obstáculos,
sobreviver a todos os desafios e vencer todas
as dificuldades, tornando-me
alguém melhor do que eu era antes.
Esta é a minha declaração.

Quando o povo de Israel estava no deserto, indo em direção à Terra Prometida, Deus lhes deu maná a cada manhã para comer. Ele aparecia no chão. Mas o Senhor os instruiu especificamente a recolher apenas o suficiente para o suprimento de um dia. Na verdade, não adiantaria recolher uma quantidade maior; o maná acabaria estragando. Da mesma forma, Deus não nos dá de uma só vez graça suficiente para sobrevivermos um ano ou um mês. Na verdade, a cada vinte e quatro horas, Deus tem um novo suprimento de graça, favor, sabedoria e perdão para nós.

Como você vai sobreviver a um período em que as coisas não vão bem no trabalho? Um dia de cada vez.

Como vai conseguir criar um filho que lhe dá trabalho? Um dia de cada vez.

> A cada vinte e quatro horas, Deus tem um novo suprimento de graça, favor, sabedoria e perdão para nós.

Ouvi Corrie ten Boom dizer algo muito interessante sobre esse tema. Durante a Segunda Guerra Mundial, sua família holandesa e ela esconderam judeus dos nazistas e salvaram muitas vidas. Por fim, ela foi capturada e colocada na prisão. Nos campos de concentração, viu todo o tipo de atrocidades. Corrie testemunhou inclusive a morte do pai e da irmã. Graças a uma série de eventos incomuns, ela foi acidentalmente libertada e sua vida foi poupada. Apesar de ter assistido a todos aqueles assassinatos sem sentido, Corrie nunca se tornou uma pessoa amarga, mas perdoou até mesmo o homem que matou seus familiares.

Alguém perguntou como ela conseguiu passar pelos dias de trevas nos quais presenciou esses atos horríveis de ódio, e ainda ser amorosa, gentil e perdoadora. Ela respondeu à pergunta com uma história. Disse que quando era pequena, seu pai a levava para passear de trem por toda a Europa. Ele sempre comprava os bilhetes de trem com várias semanas de antecedência, mas só entregava o bilhete da menina alguns instantes antes do embarque. Naturalmente, por ela ser uma garotinha, ele fazia isso por estar preocupado que Corrie pudesse perdê-lo ou deixá-lo em casa. Assim, sempre que seu pai via os faróis do trem chegando à estação, entregava os bilhetes à sua filhinha e eles embarcavam juntos.

Corrie disse à pessoa que lhe perguntou como ela fora capaz de perdoar aquele homem:

"A razão pela qual você não pode compreender como consegui perdoar a pessoa que matou a minha família e como não estou cheia de amargura e ódio, é porque exatamente como acontecia com o meu pai e nossos bilhetes de trem, Deus só nos dá a graça que precisamos quando estamos prestes a embarcar. Mas se você passar por algo semelhante ao que passei, posso lhe assegurar que a graça de Deus estará lá para ajudá-lo a ultrapassar os vales sombrios e ainda manter sua cabeça erguida e seu coração cheio de amor".

Talvez você não consiga entender neste instante como é possível superar determinado obstáculo, realizar seus sonhos ou perdoar alguém que o magoou, mas entenda que quando você chegar lá, Deus vai lhe entregar o bilhete. Ele o comprou há dois mil anos, em uma cruz no Calvário.

Quando um vale sombrio, um momento difícil ou uma enfermidade surgirem diante de você, não se preocupe. Seu Pai Celestial vai entregar seu bilhete. Ele lhe concederá graça, força, favor e perdão para ajudá-lo a fazer o que for necessário.

DIA 4

EU DECLARO que não é tarde demais para realizar tudo o que Deus tem colocado em meu coração. Não perdi a minha janela de oportunidade. Deus tem momentos de favor reservados para mim no futuro. Ele está me preparando neste instante, pois está prestes a derramar uma graça especial que me ajudará a realizar esse sonho. Este é o meu tempo. Este é o meu momento. Eu recebo o que Deus tem para mim hoje! Esta é a minha declaração.

Muitas vezes adiamos o que sabemos que Deus quer que façamos. Talvez, no fundo, Deus esteja trabalhando em você a necessidade de perdoar um erro, voltar à sua boa forma, ter uma atitude melhor ou passar mais tempo com a sua família. Ou talvez seja um sonho ou objetivo que você sabe que deveria perseguir, como começar um negócio, escrever um livro, participar de um coral, encontrar um novo *hobby*.

Nós sabemos que Deus plantou em nosso interior o que Ele deseja que façamos, mas muitas vezes inventamos desculpas para não seguir adiante. Dizemos coisas como: "Estou muito ocupado. Já tentei e não deu certo. Não sou tão talentoso assim. Fui profundamente magoado."

É fácil convencer a si mesmo a não seguir seus sonhos e objetivos. Inúmeras pessoas se contentam com a mediocridade. Mas a boa notícia é que Deus nunca aborta um sonho. Podemos desistir deles. Podemos parar de buscar novas oportunidades e de crer em nossa capacidade de superar obstáculos, mas Deus ainda continua completamente comprometido com levar a cabo todos os sonhos, todas as promessas que Ele coloca em seu coração.

Talvez você tenha adiado dar o primeiro passo por uma semana, um ano ou vinte e cinco anos, mas Deus está dizendo: "Não é tarde demais para começar." Você ainda pode se tornar tudo o que Deus o criou para ser. Mas você deve fazer a sua parte e romper a inércia. Você não é velho ou jovem demais. Você não perdeu sua janela de oportunidade. O sonho continua vivo em seu interior.

Você ainda pode se tornar tudo o que Deus o criou para ser.

Neste momento, você deveria se posicionar pela fé e dizer: "Este é o meu tempo. Este é o meu momento. Não estou conformado com quem sou. Chega de deixar as desculpas me impedirem de crescer. Hoje, vou dar passos de fé para buscar novas oportunidades, explorar novos *hobbies*, mudar maus hábitos, livrar-me de pensamentos equivocados. Sei que não é tarde demais para realizar tudo o que Deus colocou em meu coração".

Se adotar essa postura, o restante da sua vida pode ser a melhor época de todas! Na Bíblia, quando Paulo disse a Timóteo: "Mantenha viva a chama do dom de Deus" (2 Timóteo 1:6, NVI), ele estava dizendo: "Timóteo, a vida está passando. Mantenha-se ocupado buscando aquilo para o qual você foi destinado".

Você precisa permanecer apaixonado pelo que Deus colocou no seu coração. Não deixe que uma decepção ou até mesmo uma série de decepções o convençam a desistir e conformar-se com a posição em que você está. Aprendi que a cada contratempo enfrentado você fica um passo mais perto de ver o sonho se tornar realidade. É preciso se deparar com as portas fechadas antes de chegar até as portas que estarão abertas para você. Talvez você tentado e fracassado mil vezes, mas nunca se sabe; talvez a porta que irá se escancarar para você será a porta número mil e um! Recupere a sua chama.

Você pode ter passado por decepções. Talvez as coisas não sejam da maneira que você esperava. Liberte-se da sua decepção. Crie uma nova visão para sua vida.

A cada contratempo enfrentado você fica um passo mais perto de ver o sonho se tornar realidade.

DIA 5

EU DECLARO que sou grato por quem Deus é em minha vida e pelo que Ele tem feito. Valorizarei as pessoas, as oportunidades e o favor com os quais Ele me abençoou. Olharei para o que está certo e não para o que está errado. Agradecerei ao Senhor pelo que tenho e não reclamarei do que não tenho. Verei cada dia como um presente de Deus. Meu coração transbordará de louvor e gratidão por toda a Sua bondade.
Esta é a minha declaração.

Sempre que falo com pessoas que viveram a experiência de ver a morte de perto, seja porque estiveram doentes, sofreram um acidente ou viveram algum outro desafio, elas falam sobre como passaram a valorizar cada dia mais do que nunca. Elas dão valor a cada minuto e veem cada dia como um presente de Deus.

Temos de perceber que podemos perder nossa vida em um instante. Não há garantias de que ainda estaremos vivos daqui a um ano. Aprenda a aproveitar ao máximo cada dia. Não se queixe. Não se concentre no que está errado. Seja grato pela oportunidade de vivenciar cada dia. As coisas podem não ser perfeitas. Talvez você passe por dores e sofrimentos. É possível que enfrente adversidades ao longo do dia. Mas, olhando o quadro geral, sua vida poderia ser muito pior. E, realmente, você precisa viver cada dia como se fosse o último.

Ouvi alguém dizer: "Se tivesse apenas uma hora de vida, a quem você chamaria? O que você diria? E pelo que está esperando?" Não menospreze o que Deus já lhe deu.

Você precisa viver cada dia como se fosse o último.

Talvez você não consiga perceber, mas estamos vivendo nos bons e velhos tempos. Tenho certeza de que daqui a vinte ou trinta anos você vai olhar para trás e dizer: "Aquela foi uma época excelente. Lembro-me de quando a Lakewood foi encerrada em East Houston. Lembro-me de quando Joel era apenas um jovem. Lembro-me de quando seu irmão, Paul, ainda tinha algum cabelo!" *Esses* são os bons e velhos tempos.

Eu costumava jogar basquete com um jovem, um atleta, que começou a ter problemas em um dos olhos. Ele foi ao médico e lhe disseram que ele tinha uma forma de câncer e poderia perder a visão. Você pode imaginar como ele ficou arrasado. Não conseguia acreditar. Então, ele foi operado e os médicos descobriram que não era câncer. Em vez disso, encontraram um fungo incomum, que foram capazes de remover. Sua visão foi salva. Quando meu amigo acordou da operação e ouviu a boa notícia, disse: "Este é o melhor dia da minha vida!"

Pense nisso. Ele não ganhou na loteria. Não ganhou uma grande promoção. Não comprou uma casa nova. Ele só soube que iria continuar a enxergar como antes.

Ele me disse: "Joel, agora, todas as manhãs quando me levanto, olho propositadamente ao meu redor. Olho para os meus filhos. Vou lá fora e olho para as folhas. Gasto algum tempo apenas recolhendo algumas sementes e olhando para elas".

Por ter quase perdido a visão, enxergar agora passou a ter um significado totalmente novo para o meu amigo. Ele valoriza isso muito mais.

DIA 6

EU DECLARO um legado de fé sobre a minha vida. Declaro que deixarei um legado de bênçãos para as gerações futuras. Minha vida é marcada pela excelência e pela integridade. Porque estou fazendo as escolhas certas e dando passos de fé, outros desejarão me seguir. Minha vida está hoje envolta pela abundância de Deus. Esta é a minha declaração.

Quando você ouve a palavra *legado*, provavelmente pensa no que deixará para trás ou em como será lembrado depois que partir desta vida. Essa é uma interpretação possível para a palavra, mas há outra ainda mais significante. A Bíblia fala sobre como podemos "armazenar" a misericórdia e deixá-la de herança para os nossos filhos e as gerações futuras.

Você pode criar um legado de bênçãos e favor vivendo uma vida de excelência e integridade que influenciará as futuras gerações. Sei que sou abençoado hoje porque tive pais que honraram a Deus. Também tive avós que oraram por mim e foram um exemplo vivo de uma vida de excelência.

Você está onde está porque alguém se sacrificou. Alguém orou e se dispôs a servir. E agora Deus os está honrando ao derramar a bondade dele sobre a sua vida. Nenhum de nós chegou aonde chegou sem ajuda. Em 2 Timóteo 1:5, o apóstolo Paulo disse: "Recordo-me da sua fé não fingida, que primeiro habitou em sua avó Lóide e em sua mãe, Eunice, e estou convencido de que também habita em você" (NVI).

Paulo estava dizendo: "Timóteo, o que eu vejo em você não começou com você. Tudo começou com a sua avó, uma mulher de oração. Essa mulher honrou a Deus com sua vida. Ela acumulou um legado de misericórdia, que foi transmitido à sua mãe, e que agora posso ver em você. E a boa notícia é que ele não termina em você. Essa misericórdia será transmitida de geração em geração."

Talvez você sinta que não tem uma herança divina se seus pais ou avós não dedicavam tempo a Deus. Mas talvez esteja colhendo os frutos de um legado deixado cem anos atrás por um tetravô ou outros antepassados. Eles oraram. Eles apoiaram outras pessoas. Foi a fé dessas pessoas e sua vida de excelência que plantaram a semente, e Deus está agora recompensando-os, ajudando você a viver uma vida de vitória.

A Bíblia conta a história de uma grande batalha na qual Josué e o povo de Israel estavam envolvidos. O líder dos israelitas, Moisés, estava em uma colina, erguendo no ar uma vara que lhe foi dada por Deus. Enquanto Moisés manteve as mãos erguidas, Josué e os israelitas venceram. Mas quando ele se cansou e baixou as mãos, o inimigo começou a prevalecer.

Imediatamente, Moisés percebeu o que estava acontecendo. Então ele pediu a dois homens que o ajudassem a manter as mãos levantadas. Mas o que eu quero que você entenda é que Josué estava lá embaixo, vencendo a batalha. Ele não sabia que a única razão pela qual estava ganhando era porque Moisés estava no monte com as mãos erguidas.

Se Moisés não tivesse feito a sua parte, Josué e o povo de Israel teriam sido derrotados. Do mesmo modo, seu desafio é viver de uma forma que conduza outros à vitória. Cada vez que toma uma decisão certa, você está erguendo as mãos. Está facilitando as coisas para aqueles que virão depois de você. Toda vez que resiste à tentação, você está vencendo pelos seus filhos.

Seu desafio é viver de uma forma que conduza outros à vitória.

Toda vez que você é gentil e respeitoso, quando ajuda alguém necessitado, sempre que vai à igreja, escolhendo servir e dar, você está acumulando misericórdia e criando um legado. Pode ser uma herança para seus filhos, seus netos ou até mesmo para aqueles de sua linhagem que viverão daqui a uma centena anos, e que vão experimentar a bondade de Deus por causa da vida que você viveu.

DIA 7

EU DECLARO que Deus tem um grande plano para a minha vida. Ele dirige os meus passos. E ainda que eu nem sempre entenda como, sei que aquilo pelo qual estou passando não é nenhuma surpresa para Deus. Ele cuidará de cada detalhe para que no fim eu seja beneficiado. Em Seu tempo perfeito, tudo dará certo. Esta é a minha declaração.

A Bíblia fala sobre como todos os nossos dias foram escritos no livro de Deus. Ele já fez um registro completo de nossas vidas, desde o início até o fim. Deus conhece cada decepção, cada perda e cada desafio. A boa notícia é que a sua história tem um final vitorioso. Seu último capítulo termina com você cumprindo o propósito para o qual Deus o destinou. O segredo para viver isso é: ao viver uma decepção ou quando sofrer uma perda, não pare nessa página. Você precisa seguir em frente. Há mais um capítulo a ser vivido, mas você precisa estar disposto a andar na direção dele.

Às vezes passamos muito tempo concentrando nossa atenção em tentar descobrir por que algo não aconteceu da maneira que esperávamos, o motivo pelo qual um casamento não foi bem-sucedido ou o porquê de não recebermos uma promoção pela qual trabalhamos duro. Talvez você não entenda o motivo pelo qual passou por determinadas coisas, mas se simplesmente continuar prosseguindo, sem deixar que a amargura crie raízes, você chegará a um capítulo de sua vida no qual todos os acontecimentos serão conectados — um capítulo que fará com que tudo faça sentido.

Ao viver uma decepção... não pare nessa página.

Nossa filha Alexandra gostava de montar quebra-cabeças quando era garotinha. A cada duas semanas, comprávamos um novo quebra-cabeça para brincar com ela. Às vezes, levávamos dois ou três dias para montá-lo. Invariavelmente, encontrávamos uma peça do quebra-cabeça que não se encaixava em nenhum lugar. Depois de tentar todas as opções que poderíamos imaginar, colocando a peça aqui e ali sem encontrar um encaixe, normalmente eu chegava à conclusão de que o fabricante havia feito algo errado. Talvez incluído uma peça adicional por engano ou deixado cair uma peça de um quebra-cabeça diferente na caixa.

Sempre que isso acontecia, entretanto, descobríamos, à medida que o quebra-cabeça chegava mais perto de ser finalizado, que existia um lugar perfeito para a peça "extra". Então, qual era o problema? Por que não conseguíamos encaixá-la antes? Porque todas as outras peças ainda não estavam juntas.

O mesmo pode ser aplicado a você e à sua vida. Você pode ter problemas ou desafios que não entende. Talvez esteja perguntando: "Joel, se Deus é tão bom, por que a minha vida está desse jeito? Por que não recebi aquela promoção? Simplesmente não faz sentido."

Sim, é verdade, se pensar nessa situação isoladamente, ela provavelmente não fará sentido. Mas o fato é que ainda há peças em seu quebra-cabeça que não foram encaixadas. Se permanecer na fé, em pouco tempo você verá como cada contratempo, cada decepção ou até mesmo cada perda, foram simplesmente outra peça do seu quebra-cabeça. Talvez você também descubra que se não tivesse passado por esse problema ou desafio, nunca teria se tornado parte das grandes coisas que Deus tinha preparadas para o seu futuro.

Você não pode ver isso ainda, mas Deus tem as peças certas para encaixar no seu quebra-cabeça. Ele pode não fazer sentido agora — mas não desanime, há outra peça chegando que conectará todo o resto e lhe dará sentido.

DIA 8

EU DECLARO que o sonho de Deus para a minha vida está se tornando realidade. Ele não será interrompido por pessoas, decepções ou adversidades. Deus já tem preparadas as soluções para todos os problemas que eu possa vir a enfrentar. As pessoas certas e as oportunidades certas estão no meu futuro. Vou cumprir o propósito ao qual fui destinado. Esta é a minha declaração.

Um professor universitário levou um grupo de alunos em uma excursão para a China. Depois de vários dias de viagem, o professor começou a sentir uma dor de estômago insuportável. A dor era tão intensa que ele pediu a um amigo para chamar uma ambulância. Em seguida, ele foi levado às pressas para uma clínica da região.

Eles estavam em uma pequena cidade, sem grandes hospitais. Logo que chegaram à clínica, um membro da equipe médica que o recebeu notou que o apêndice do professor havia rompido. O líquido venenoso do apêndice estava se espalhando por todo o corpo, mas não havia cirurgiões por perto. Pouco poderia ser feito pelo professor, disseram ao amigo que o acompanhava.

"Posso lhe dar alguns remédios para dor, talvez algumas pílulas para dormir, mas o meu conselho é que ele deve se despedir da família", disse-lhe o médico da clínica.

O professor tinha convulsões, seguidas por alguns momentos de lucidez.

Em seu país natal, nos Estados Unidos, o pai do professor, que é um pastor, começou a sentir um peso incrível no coração em relação ao filho durante um culto na sua igreja. O pastor tentou ignorar o sentimento, mas ele simplesmente não ia embora. Por fim, interrompeu o culto e disse à congregação: "Precisamos orar pelo meu filho. Alguma coisa está errada."

Eles se ajoelharam e oraram.

Eram duas horas da manhã na clínica chinesa quando o mais renomado cirurgião do país entrou pelas suas portas — aquele era o mesmo cirurgião que viaja com o presidente dos Estados Unidos quando ele visita a China. Todos na clínica ficaram surpresos ao vê-lo.

"Estou aqui para cuidar do americano", disse ele.

O cirurgião chinês salvou a vida do professor com uma operação.

No dia seguinte, o cirurgião perguntou ao professor em recuperação:

— Quem eram aqueles dois homens que você enviou ao meu consultório ontem?

— Não enviei ninguém ao seu consultório — respondeu o professor. — Não conheço ninguém aqui na China. Estou aqui há dois dias.

— Isso é estranho, pois dois homens usando ternos e muito bem vestidos foram até o meu consultório. Pareciam ser funcionários do governo — o cirurgião afirmou. — E eles disseram que você era uma pessoa muito importante e eu precisava vir até aqui no meio da noite para operá-lo.

Deus sabe como fazer tudo dar certo... Deus tem total controle da situação.

Deus sabe como fazer tudo dar certo. Mesmo a doze mil quilômetros de distância, Deus tinha pessoas orando por aquele homem. E é por isso você pode viver a vida em paz! Deus tem total controle da situação. Ele sabe como as coisas terminarão antes mesmo de começarem. Deus sabe o que você precisará daqui a uma semana, um mês, ou até mesmo daqui a dez anos. E a boa notícia é que Ele já está tomando conta de você.

DIA 9

EU DECLARO que bênçãos inesperadas estão vindo em minha direção. Minha condição irá mudar, em vez de mal ter o mínimo para sobreviver, terei mais do que o suficiente. Deus vai abrir portas sobrenaturais para mim. Ele vai falar com as pessoas certas a meu respeito. Verei Efésios 3:20 se cumprir em minha vida: o favor e a multiplicação transbordantes e abundantes, que excedem todas as expectativas, irão me alcançar. Esta é a minha declaração.

Meu amigo Samuel sempre sonhou em começar o próprio negócio. Ano após ano, ele fora fiel ao seu empregador e fizera sempre o bem, encorajando a todos ao seu redor. Ele não apenas encorajava as pessoas, mas também consertava coisas para elas ou dava-lhes carona para o aeroporto. Ele tinha um espírito generoso.

Um tempo atrás, outro amigo o convidou para jantar. Samuel pensou que era apenas para conversar sobre os velhos tempos, mas esse amigo lhe fez uma proposta: começarem um novo negócio juntos. Ele era dono de uma empresa já muito bem-sucedida, mas queria começar algo novo. Samuel pensou que ele queria apenas o seu conselho sobre o assunto e talvez algum encorajamento. Mas o amigo lhe disse:

— Não, Samuel, não quero só isso. Quero que você seja meu sócio, vamos dividir os negócios meio a meio.

Meu amigo Samuel ficou realmente emocionado.

— Amaria fazer isso, mas não tenho capital como você — disse ele. — Não posso entrar com a minha metade da sociedade, como você pode fazer.

— Não se preocupe com isso. Não preciso do seu capital — disse o amigo empresário. — Isso já está resolvido.

Só quero abençoá-lo, porque você sempre foi muito bom para mim.

Agora Samuel possui 50% de um negócio em expansão. Seu sonho se concretizou. E como isso aconteceu? Ele pôde experimentar o favor que Deus já tinha reservado para ele.

Um negócio "caiu em seu colo" quando Samuel menos esperava. Da mesma forma, Deus tem coisas incríveis para você no futuro. Ele tem portas mais amplas do que você pensou ser possível, e elas se abrirão para você. Ele pode colocar em seus caminhos oportunidades maiores do que você pode imaginar. Talvez você pense que já foi o mais longe que podia, ou que nunca vai realizar seus sonhos, pagar sua casa e deixar algo para seus filhos. Todavia, você não sabe o que Deus já declarou a seu respeito. Você não sabe as coisas incríveis que Deus colocou no seu caminho.

Deus tem coisas incríveis para você no futuro.

A Bíblia fala sobre como Deus recompensa a fidelidade. Mateus 25:21 diz que se você permanecer fiel no pouco, Deus lhe dará coisas maiores. Se você permanecer fiel, creio que a sua recompensa chegará em breve.

Deus recompensa àqueles que o buscam. Se você tem sido fiel, se tem dado aos outros e servido às pessoas, então, Deus diz: "Sua recompensa está a caminho." Deus está prestes a liberar sobre a sua vida o favor dele — algo que Ele já tem preparado para você no futuro. Tudo que Deus precisa fazer é falar com uma pessoa, e toda a sua vida pode mudar para melhor.

DIA 10

EU DECLARO que Deus irá acelerar o Seu plano para a minha vida à medida que eu colocar a minha confiança nele. Vou realizar os meus sonhos mais rápido do que pensava ser possível. Não irá demorar anos para que eu supere um obstáculo, fique livre das dívidas ou conheça a pessoa certa. Deus está fazendo as coisas mais rápido agora do que antes. Ele irá me dar a vitória mais cedo do que imagino. Ele tem bênçãos que vão me impulsionar anos à frente.

Esta é a minha declaração.

No primeiro milagre público que Jesus realizou, Ele transformou água em vinho em uma festa de casamento. Durante essa grande festa, os anfitriões ficaram sem vinho. Maria, a mãe de Jesus, aproximou-se e contou-lhe sobre o problema.

— Mãe, por que está me dizendo isso? Não posso fazer nada a respeito — disse Jesus. — A minha hora ainda não chegou.

Posso imaginar que Maria apenas sorriu e disse aos serviçais:

— Façam-me um favor: seja o que for que Jesus lhes peça para fazer, apenas façam.

Maria sabia o que Ele era capaz de fazer.

Havia seis grandes tinas de pedra nas proximidades. Cabiam cento e vinte litros em cada uma. Jesus disse aos serviçais:

— Encham esses potes com água.

Eles os encheram.

Então, Ele disse:

— Agora, tire um pouco de água — que nesse momento havia se transformado em vinho — e leve para o anfitrião da festa.

Quando o anfitrião provou, chamou o noivo e disse:

— Isto é incrível. A maioria das pessoas serve primeiramente o melhor vinho e, então, depois que as pessoas já beberam bastante e já não se importam mais com a qualidade, servem o vinho mais barato. Mas você fez exatamente o oposto: guardou o melhor vinho para o final.

Li um pouco sobre quanto tempo é preciso para fazer vinho. É um processo muito longo, que começa, evidentemente, com o plantio das sementes. Em seguida, leva vários anos para as videiras crescerem e produzirem uvas. Logo que as uvas se desenvolvem, amadurecem e estão no ponto certo, devem ser colhidas e processadas para a produção do vinho. Em geral, pode levar de três a cinco anos antes que o vinho possa começar a ser engarrafado. E isso se tratando de um vinho de qualidade mediana. O vinho de boa qualidade leva entre cinco a sete anos para ser produzido. É envelhecido para ter a qualidade e o valor aumentados, o que pode demorar décadas.

Normalmente para ser considerado de boa qualidade um vinho deve ter vinte ou trinta anos de idade. No entanto, em seu primeiro milagre público, Jesus produziu o vinho da mais fina qualidade em uma fração de segundos — Ele fez em instantes o que normalmente levaria décadas para ser produzido. Assim, se você estiver preocupado por não ter tempo suficiente para realizar os seus sonhos e objetivos, é preciso lembrar que, assim como Jesus acelerou o processo de *vinificação*, Deus pode fazer em uma fração de segundos o que de outra forma poderia levar muitos anos.

Deus pode fazer em uma fração de segundos o que de outra forma poderia levar muitos anos.

Talvez, falando em termos humanos, você levaria vinte anos para quitar a sua casa. Mas a boa notícia é que Deus trabalha no ramo da *aceleração*. Ele pode dar a você uma boa oportunidade que irá impulsioná-lo trinta anos em direção ao futuro. Ele pode transformar água em vinho.

Sinta-se encorajado com essa notícia! O Deus que servimos sabe como acelerar os processos, quebrando as leis naturais. Ele pode levá-lo mais longe e mais rápido do que você jamais poderia imaginar.

DIA 11

EU DECLARO Efésios 3:20 sobre a minha vida. Deus fará transbordante e abundantemente além daquilo que peço ou penso. Porque eu honro a Deus, Suas bênçãos irão me perseguir e me alcançar. Vou estar no lugar certo e na hora certa. Pessoas farão um esforço extra e mudarão seu caminho para me ajudar. Estou cercado pelo favor de Deus. Esta é a minha declaração.

Minha amiga Irene estava trabalhando em casa, removendo uma antiga mancha de uma peça de mobília com uma lixadeira elétrica. Era uma ferramenta que ela tinha há algum tempo; não estava em excelente estado. Enquanto trabalhava, uma das principais peças se partiu e parou de funcionar. Então ela colocou a lixadeira e a peça quebrada em uma sacola da Igreja Lakewood que por acaso tinha em casa e foi até a loja de ferramentas.

Um senhor veio ajudá-la. Ela lhe mostrou a peça quebrada e perguntou se ele tinha uma igual para vender. Ele olhou para ela de uma forma muito estranha, com um olhar quase que vitrificado e disse: "Não, nós não temos essa peça. Nem sequer trabalhamos com esse modelo". Mas ele estendeu a mão em direção à prateleira e pegou uma lixadeira nova, do melhor modelo e disse: "Aqui, quero que fique com isso. É um presente nosso para você". Irene nunca tinha visto aquele homem antes. Ela estava totalmente desconcertada. Então, ela disse: "Você tem certeza de que quer me dar a lixadeira?"

Ele disse: "Sim, tenho. Basta ir até o balcão e lhes dar o meu número: 5-5-5".

Então ela foi até o balcão, quase sem acreditar no que estava acontecendo. Havia três caixas registradoras funcionando, e cinco ou seis pessoas em cada fila. Ela foi para o final e ficou aguardando. Subitamente, a senhora da caixa registradora olhou em volta e disse: "Ei, senhora. Venha até aqui. Quero registrar sua compra agora mesmo".

Irene apontou para si mesma e disse: "Você está falando comigo?" Ela disse: "Sim, estou falando com você, uma mulher altamente favorecida". Irene estava um pouco constrangida. Ela não queria passar à frente dos outros, mas a senhora insistiu, então ela foi até lá, mostrou-lhe a lixadeira e disse: "Aquele homem disse que queria me dar isso".

Ela disse: "Bem, não sei se isso é possível. Quem era ele?"

"Não sei, mas ele disse que o seu número era 5-5-5", falou Irene.

Ela disse: "Ah sim, ele pode fazer o quiser, ele é o gerente regional".

Quando Irene estava prestes a sair da loja, perguntou para a senhora: "A propósito, por que me chamou antes de todas essas pessoas?"

A senhora do caixa disse: "Vi a sua sacola da Igreja Lakewood. Assisto aos cultos todos os domingos. E sei que qualquer um que frequenta a Lakewood só pode ser alguém altamente favorecido".

Creio que aqueles que permanecem firmes na fé são altamente favorecidos. Você precisa se preparar para ter uma vida excelente e abundante, além de todas as suas expectativas; uma vida na qual as pessoas fazem um esforço extra, sem qualquer motivo aparente, para ajudá-lo; uma vida em que você é promovido mesmo não sendo o mais qualificado; uma vida em que você está no lugar certo na hora certa.

Quando você anda no favor de Deus, Suas bênçãos irão persegui-lo e alcançá-lo.

Quando você anda no favor de Deus, Suas bênçãos irão persegui-lo e alcançá-lo.

DIA 12

EU DECLARO que sou uma pessoa especial e extraordinária. Não sou mediano! Fui feito sob medida. Sou único. De todas as coisas que Deus criou, eu sou aquela da qual Ele mais se orgulha. Sou Sua obra-prima, Seu bem mais precioso. Manterei minha cabeça erguida, pois sei que sou filho do Deus Altíssimo, feito à Sua imagem. Esta é minha declaração.

Os psicólogos dizem que a nossa autoestima fundamenta-se muitas vezes no que acreditamos que as pessoas mais importantes em nossas vidas pensam a nosso respeito. Para as crianças, provavelmente essas pessoas são seus pais. Para os adultos, talvez um de seus pais, um cônjuge, um amigo ou um mentor.

O problema com essa filosofia é que as pessoas podem nos decepcionar. Elas podem dizer ou fazer coisas que nos magoam ou nos fazem sofrer. Se o nosso valor for determinado apenas por aqueles que podem nos magoar, provavelmente nos sentiremos cada vez menos valiosos ao longo do tempo. Mais cedo ou mais tarde eles dirão algo que irá nos machucar, ou agirão como se não fôssemos tão importantes assim.

O segredo para realmente entender e manter um senso de valor verdadeiro sobre nós mesmos é deixar que seu Pai Celestial seja a pessoa mais importante em sua vida. Fundamente o seu senso de valor próprio no que Ele diz a seu respeito.

Quando você comete erros, alguns podem criticá-lo e fazê-lo se sentir culpado, como se aquele fosse o seu fim. Mas Deus diz: "Eu derramo minha misericórdia sobre cada um dos seus equívocos. Levante-se e comece de novo. Seu futuro é mais brilhante do que o seu passado".

Deixe que o seu Pai Celestial seja a pessoa mais importante em sua vida.

Os outros podem fazer você sentir que não é talentoso, atraente ou que não tem nada de especial para oferecer. Mas Deus diz: "Você é incrível. Você é lindo. Você é único".

As pessoas podem decepcioná-lo e rejeitá-lo e até mesmo dizer coisas que podem ferir seu espírito. Se seu valor e seu mérito forem determinados exclusivamente por elas, você irá passar pela vida sentindo-se inferior, inseguro e com baixa autoestima. Mas se aprender a deixar que o seu Pai Celestial determine o seu valor e a ouvir o que Ele diz a seu respeito, então se sentirá aceito, aprovado, redimido, perdoado, confiante e seguro. Você se sentirá extremamente valioso e é exatamente assim que Deus deseja que você seja.

Efésios 2:10 diz: "Você é a obra-prima de Deus". Você consegue entender que uma obra-prima não é algo produzido em massa? Você não saiu de uma linha de montagem. Você não é mediano, não é comum. Você foi feito sob medida e é único. Deus o criou à Sua imagem. Ele vê além de todas as outras coisas e olha diretamente para você dizendo: "Aqui está a minha obra-prima. Este é o meu filho. Esta é a minha filha. É o que traz a maior alegria ao meu coração".

DIA 13

EU DECLARO que Deus está gerando novos tempos de crescimento. Não vou ficar estagnado e preso ao que é velho. Estarei aberto a mudanças sabendo que Deus tem algo melhor reservado para mim adiante. Novas portas de oportunidade, novos relacionamentos e novos níveis de favor me esperam no futuro. Esta é a minha declaração.

Às vezes exatamente aquilo contra o qual lutamos, aquilo que pensamos estar tentando nos colocar para baixo, representa, na verdade, a mão de Deus tentando nos impulsionar na direção de um novo tempo. Deus vai nos tirar de situações confortáveis e nos colocar em situações desafiadoras — situações que nos forçam a usar a nossa fé. Podemos não gostar dessa experiência. Pode ser desagradável. Mas Deus o ama demais para simplesmente deixá-lo ficar onde está.

Assim como Deus pode abrir portas sobrenaturalmente, Ele pode às vezes também fechá-las. Nada acontece por acaso. Deus está dirigindo cada um dos seus passos. Isso significa que se um amigo lhe fizer mal, se algo inesperado acontecer, se perder um ente querido, você pode aceitar essa mudança e Deus irá usá-la para levá-lo mais alto, ou você pode resistir a ela e acabar se tornando alguém que está estagnado e se contenta com a mediocridade.

Esteja aberto a mudanças. Não as veja de maneira negativa. Nem toda mudança é ruim. Pode parecer negativa à primeira vista, mas lembre-se de que Deus não permitiria que as coisas mudassem se Ele não tivesse um propósito nisso. Ele usará as mudanças para desafiá-lo e impulsioná-lo confiantemente na direção de uma nova dimensão. Talvez você esteja vivendo em uma situação perfeitamente confortável nos últimos anos, mas, quando menos esperar, verá as coisas se moverem.

Não veja as mudanças de maneira negativa.

Talvez você pensasse que continuaria no seu trabalho pelos próximos vinte anos, mas por algum motivo as pessoas que o estavam apoiando não o fazem. Você não é mais favorecido ali como costumava ser. Parece que cada dia é uma dura batalha. O que é isso? Isso é Deus movendo as coisas.

É fácil se tornar negativo ou amargo: "Deus, por que isso está acontecendo? Pensei que eu tinha o Seu favor". Mas uma maneira muito melhor de lidar com a situação é simplesmente manter-se aberto e saber que Deus continua no controle. Se aceitar essa mudança, os ventos que você pensou que iriam derrotá-lo irão, na verdade, impulsioná-lo na direção de seu destino divino.

Talvez você esteja em um relacionamento e, no fundo, sabe que essa não é a pessoa certa para você. Você sabe que essa pessoa está impedindo-o de se tornar melhor. Talvez você esteja pensando: *Se eu fizer uma mudança, vou ficar sozinho*. Você não quer que o barco comece a balançar. E é por isso que, às vezes, Deus vira o barco. Deus pode forçá-lo a seguir em frente, não porque Ele é mau nem porque está tentando tornar a sua vida infeliz, mas porque tem um grande desejo de vê-lo atingir seu pleno potencial.

Por isso, às vezes, Ele pode fazer com que um amigo se afaste de você. Deus vai mover as coisas e até mesmo permitir que ele lhe faça mal, porque sabe que se não fechar essa porta você nunca vai seguir em frente. Trinta anos depois, essa pessoa ainda estaria colocando você para baixo, impedindo-o de chegar ao seu destino. Deus não moveria as coisas se não houvesse algo melhor esperando por você. Não lute contra a mudança; aceite-a e você vai entrar na plenitude do que Deus tem reservado para você.

DIA 14

EU DECLARO que abençoarei as pessoas com as minhas palavras. Declararei favor e vitória sobre minha família, meus amigos e meus entes queridos. Vou ajudá-los a despertar as sementes de grandeza que há em seu interior, dizendo-lhes: "Estou orgulhoso de você, eu o amo, você é incrível, você é talentoso, você é belo, você fará grandes coisas na vida". Esta é minha declaração.

DIA 14

[illegible]

Quando você declara bênçãos sobre seu cônjuge, seus filhos, seus alunos ou qualquer um em sua vida, não está apenas usando palavras bonitas. Essas palavras transmitem o poder sobrenatural de Deus. Elas liberam favor, capacidade, confiança e a bondade de Deus de formas extraordinárias.

Deveríamos fazer de nossa missão declarar bênçãos sobre tantas pessoas quanto nos for possível. Com as nossas palavras podemos liberar o favor de Deus na vida de outra pessoa.

Ouvi falar de uma pequena garota que tinha lábio leporino. Seu lábio era um pouco torto e por isso seu sorriso era um tanto estranho.

Quando ela estava no segundo grau, os outros alunos não brincavam com a garota, porque ela era diferente. Ela cresceu se sentindo incrivelmente insegura. Ela simplesmente se retraiu, permaneceu em seu próprio mundo e não tinha nenhum amigo de fato. Um dia, a escola realizou testes auditivos. A professora fez com que cada aluno caminhasse lentamente para longe dela, enquanto ela falava baixinho. Os alunos deveriam repetir em voz alta, na frente de toda a turma, o que ela estava sussurrando.

Com nossas palavras podemos liberar o favor de Deus na vida de outra pessoa.

Para a maioria dos alunos a professora fazia afirmações gerais como: "O céu é azul." "Há um gato lá fora." "Hoje é terça-feira."

Os alunos repetiam cada declaração para mostrar que conseguiam ouvir corretamente. Quando chegou a hora da pequena menina com o lábio leporino, ela estava nervosa e com medo, mas depois que passou no teste de audição, a professora sorriu e lhe disse: "Queria que você fosse minha filha".

Quando ela ouviu a aprovação da professora e bênçãos sendo declaradas sobre ela, algo aconteceu em seu interior. Aquilo lhe deu uma nova sensação de confiança, uma maior autoestima. Não só isso, quando os outros alunos ouviram o quanto a professora amava essa menina, eles mudaram de atitude. Agora todos queriam ser seus amigos. Faziam questão de se sentar perto dela na hora do almoço. Começaram a convidá-la para ir às suas casas depois das aulas.

O que aconteceu? A bênção não foi declarada por um dos pais, mas por uma figura de autoridade, e isso liberou o favor de Deus sobre a vida daquela menina grandiosamente. Quando a pequena menina se tornou uma jovem, falou muitas vezes daquele dia como um momento decisivo em sua vida. Penso no que poderia ter acontecido se aquela professora tivesse retido a bênção. E se ela tivesse dito algo comum? Quem sabe onde essa moça estaria hoje?

É algo muito simples, mas que pode ter um impacto enorme. Por esse motivo deveria se tornar um hábito para você declarar bênçãos em todas as oportunidades que tiver.

DIA 15

EU DECLARO que tenho uma mente sã, cheia de bons pensamentos, não de pensamentos derrotistas. Pela fé, tenho toda a capacidade. Sou ungido. Sou preparado. Sou revestido de poder. Meus pensamentos são guiados pela Palavra de Deus todos os dias. Nenhum obstáculo pode me derrotar, porque minha mente é programada para a vitória. Esta é minha declaração.

Muitas das promessas de Deus foram escritas usando o verbo no passado. Em Efésios, Deus diz: "Eu o abençoei com todas as bênçãos espirituais". Ele diz em Colossenses: "Eu os tornei dignos". Em Salmos, Ele diz: "O favor do Senhor o protegeu como um escudo".

Todas elas são colocadas no tempo passado como se já tivessem acontecido. Agora você deve fazer a sua parte e chegar a um acordo com Deus. Talvez você não se sinta alguém abençoado hoje. Muitas coisas podem ter se levantado contra você, sua família, suas finanças ou sua saúde.

Sua mente pode estar lhe dizendo, *isto não se aplica a mim. Não existe possibilidade de eu ser abençoado.*

Em vez disso, você deve ser ousado e dizer: "Deus, se o Senhor diz que sou abençoado, então eu acredito. Meu talão de cheques pode não dizer que sou abençoado. A economia pode não dizer que sou abençoado. O parecer médico não diz que sou abençoado. Mas Deus, sei que o Senhor tem a autoridade final. Já que o Senhor diz que sou abençoado, então eu afirmo que sou abençoado".

Quando você entra em concordância com Deus, permite que Ele libere as promessas que já foram destinadas a você. Elas podem sair do reino espiritual invisível para o reino físico, o reino visível. Isto é o que a Bíblia diz: "Deus fala de coisas inexistentes como se já existissem".

Mas muitas pessoas andam por aí pensando: *Bem que eu gostaria de ser abençoado*. Não funciona assim. Você tem de reprogramar o seu pensamento. Nos Salmos é dito que Deus já o coroou com favor. Você pode não perceber isso, mas há uma coroa em sua cabeça agora e não é uma coroa de derrota, carência ou mediocridade. Você foi coroado com o favor de Deus.

Deus já o coroou com favor.

Se você deseja ver esse favor operando, precisa entrar em concordância com Deus, declarando: "Eu realmente sou favorecido". Você não pode passar o dia pensando, *por que sempre fico com a pior parte? Por que essas coisas ruins sempre acontecem comigo*? Quando esses pensamentos desencorajadores vierem e tentarem convencê-lo de que não há nada de bom pela frente, como um ato de fé, você precisa simplesmente se levantar e ajeitar a coroa de favor que está sobre sua cabeça. Certifique-se de que ela está reta e bem colocada sobre a sua cabeça. Deus já o abençoou. Ele já o tornou mais que vencedor. Deus já lhe coroou com favor.

Mas como usufruir do que Deus já fez?

Muito simples: basta agir como alguém abençoado, falar como se fosse abençoado, andar como se fosse abençoado, pensar como se fosse abençoado, sorrir como se fosse abençoado, vestir-se como se fosse abençoado. Aja de acordo com a sua fé, e um dia você verá isso se tornar realidade.

DIA 16

EU DECLARO que vou viver como alguém que traz cura à vida das pessoas. Sou sensível às necessidades daqueles que me cercam. Vou levantar o caído, restaurar os de coração partido e incentivar o desanimado. Sou cheio de compaixão e bondade. Não vou apenas buscar um milagre; irei me tornar o milagre de alguém, mostrando a misericórdia e o amor de Deus em todos os lugares que eu vá. Esta é a minha declaração.

Nunca somos tão parecidos com Deus como quando ajudamos as pessoas. Uma de nossas missões na vida é ajudar a enxugar as lágrimas. Você é sensível às necessidades daqueles que o cercam? Seus amigos? Vizinhos? Colegas de trabalho?

Muitas vezes, por trás de um sorriso bonito, por trás dos louvores de domingo, há alguém que sofre. Uma pessoa solitária, vivendo um momento de crise. Ao ver alguém passando por dificuldades, estenda a mão. Seja alguém que promove a cura para os corações feridos. Seja um restaurador. Dedique parte de seu tempo para secar as lágrimas dos que choram.

Seu trabalho não é julgar. Seu trabalho não é descobrir se alguém merece alguma coisa ou decidir quem está certo ou quem está errado. Seu trabalho é levantar o caído, restaurar os de coração partido e curar os feridos.

Com muita frequência nos focamos em nossos próprios objetivos, nossos próprios sonhos e em como podemos obter o nosso milagre. Mas aprendi que há algo mais importante: posso me tornar o milagre de alguém.

Há cura em suas mãos. Há cura em sua voz. Você é um recipiente cheio de Deus. Neste exato momento você está cheio de encorajamento, cheio de misericórdia, cheio de restauração, cheio de cura. Você deve compartilhar a bondade de Deus aonde quer que vá.

Posso me tornar o milagre de alguém.

Se ficar perto de mim, é melhor estar pronto. Você será encorajado. Você pode ter cometido erros, mas deixe-me lhe dizer algo: *a misericórdia de Deus é maior do que qualquer erro que você tenha cometido.* Você pode ter desperdiçado anos de sua vida com escolhas ruins, mas deixe-me lhe dizer que Deus ainda tem um plano para levá-lo ao seu destino final.

Talvez você tenha um vício desde a época da adolescência. Mas vou lhe contar que o poder do Deus Altíssimo pode livrá-lo de qualquer vício e libertá-lo. Esse é o significado de partilhar o bem de Deus. Você levanta o caído. Você encoraja o desanimado. Você dedica tempo para secar as lágrimas.

Jesus contou a história do bom samaritano, que estava montado em seu jumento e viu um homem na beira da estrada espancado e deixado para morrer. Ele o colocou em seu jumento e o levou para um lugar onde ele poderia se recuperar. Amo o fato de que o bom samaritano foi andando para que o homem ferido pudesse ir montado no jumento.

Às vezes você pode ter de trocar de lugar com alguém que está sofrendo. Você deve estar disposto a ser submetido a inconveniências. Talvez você tenha de se atrasar para o jantar a fim de enxugar as lágrimas de alguém. Talvez tenha de faltar à academia por uma noite, para encorajar um casal que está vivendo um momento difícil. Talvez tenha de dirigir até o outro lado da cidade e pegar um colega de trabalho que luta contra um vício para levá-lo à igreja com você no domingo. Se você quiser viver como alguém que realiza milagres, deve estar disposto a trocar de lugar com aqueles que estão sofrendo.

DIA 17

EU DECLARO que vou agir de acordo com a minha fé. Não vou ser passivo ou indiferente. Vou demonstrar minha fé dando passos ousados para me mover na direção que Deus colocou em meu coração. Minha fé não será tímida; ela será vista. Sei que quando Deus vir a minha fé, Ele virá e fará coisas incríveis. Esta é minha declaração.

A Bíblia nos conta a respeito de um homem paralítico. Ele ficava em casa, na cama, o dia todo. Um dia ele ouviu que Jesus estava em sua cidade ensinando às pessoas, e convenceu quatro amigos a levar seu leito até a casa onde Jesus estava.

Quando chegaram, o lugar estava lotado e não conseguiam entrar. Eles não mediram esforços para chegar lá. Tenho certeza de que os quatro homens estavam cansados. Tenho certeza de que suas costas e seus ombros estavam doendo. Tinham viajado um longo caminho, mas agora parecia ter sido em vão. Que decepção. Que desilusão. Eles poderiam facilmente ter desanimado e dito: "Que pena. Não vamos conseguir".

Mas não o homem paralítico: ele estava determinado. Posso ver seus quatro amigos dando a volta para levá-lo para casa, e ele dizendo: "Não, não. Não vamos para casa ainda. Não saio daqui até conseguir o meu milagre".

Esse homem entendeu esta grande verdade: você está mais próximo da sua vitória quando enfrenta uma oposição maior. Muitas pessoas desistem com extrema facilidade.

Você está mais próximo da sua vitória quando enfrenta uma oposição maior.

"Joel, eu tentei, mas eles disseram não."

"Tentei conseguir meu diploma, mas não havia vagas na faculdade."

"Tentei comprar essa casa nova, mas não consegui o empréstimo."

"Tentamos ir à igreja, mas o estacionamento estava simplesmente muito lotado."

Você precisa ter mais determinação. Precisa nunca se dar por vencido, precisa ter uma atitude positiva. Se você não puder chegar até a porta, por que não tentar a janela? Se não pode passar pela janela, por que não ser ousado e ir para o telhado? Foi isso que aquele homem fez na história da Bíblia.

Ele disse aos seus amigos: "Tenho uma ideia. Levem-me para o telhado. Façam um buraco no meio e desçam-me para que eu possa ter um lugar na primeira fila, lá na frente de Jesus".

Quando há disposição, há possibilidades. Eles desceram esse paralítico em sua cama, todo enrolado, e o colocaram bem na frente de Jesus. A Bíblia, em Marcos 2:5, começa assim: "Vendo a fé que eles tinham, Jesus..."

Esta é a minha pergunta para você hoje: você tem uma fé que Deus possa ver? Você está fazendo algo fora do comum para mostrar a Deus que acredita nele? Não é o suficiente apenas orar. Não é o suficiente apenas crer. Como esse homem, você tem de fazer alguma coisa para demonstrar sua fé.

Jesus olhou para o homem e disse: "Levante-se. Tome o seu leito e ande". Imediatamente, o homem se levantou. Pegou o seu leito. Foi para casa com sua saúde perfeitamente restaurada. Mas tudo começou quando ele se atreveu a fazer algo por meio do qual Deus pudesse ver a sua fé.

Havia outras pessoas na sala que foram curadas. Qual foi a diferença? Esse homem agiu de acordo com a sua fé. Deus está procurando pessoas que tenham uma fé que Ele possa ver. Não apenas uma fé que crê, mas também uma fé que é visível. Uma fé que é demonstrada. Uma coisa é orar. Uma coisa é crer. Mas se você realmente quer chamar a atenção de Deus, aja de acordo com o que crê.

DIA 18

EU DECLARO que o momento da minha vitória está chegando, um súbito transbordamento da bondade de Deus. Não uma gota. Não um córrego. Mas uma inundação do poder de Deus. Uma inundação de cura. Uma inundação de sabedoria. Uma inundação de favor. Sou uma pessoa inovadora e escolho viver com um espírito inovador. Estou esperando que Deus me surpreenda com Sua bondade e com Seu favor. Esta é a minha declaração.

Na Bíblia, o rei Davi precisava de uma vitória miraculosa ao viver uma situação dificílima. Ele e seus homens enfrentavam um imenso exército — os filisteus. Eles estavam em número muito menor. Tinham pouca ou nenhuma chance de vencer. Davi pediu a ajuda de Deus, e Deus deu a Davi a promessa de que Ele iria com eles e eles iriam derrotar aquele exército.

Quando Davi e os seus homens foram ao encontro de seus inimigos, foi exatamente o que aconteceu. Deus lhes deu uma grande vitória. Davi ficou tão maravilhado por isso, que disse em 1 Crônicas 14:11: "Assim como as águas de uma enchente causam destruição, pelas minhas mãos Deus destruiu os meus inimigos". Ele chamou o lugar de Baal-Perazim, que significa, "o Senhor que rompe as barreiras". Observe que Davi comparou o Poder de Deus com o transbordar de um rio. Ele o descreveu como uma inundação. Ele estava dizendo que quando o Deus que rompe as barreiras aparece e libera Seu poder é como uma inundação de Sua bondade, uma inundação do Seu favor, uma inundação de cura, uma inundação de novas oportunidades.

Pense em quanto a água é poderosa: mil litros de água podem arrastar um carro enorme que pesa mais de uma tonelada e mudá-lo de lugar. Já vi, no noticiário, grandes inundações fazerem casas inteiras flutuarem rio abaixo. Nada pode parar a força daquelas águas. Tudo em seu caminho é arrastado.

Quando o Deus que rompe as barreiras libera uma inundação do Seu poder, nada pode pará-lo.

Talvez você tenha dificuldades que parecem ser enormes, obstáculos que parecem intransponíveis e sonhos que parecem inalcançáveis. Mas saiba que quando o Deus que rompe as barreiras libera uma inundação de Seu poder, nada pode pará-lo. Sua doença pode parecer complexa, mas não é nada para Ele. A enfermidade não tem a menor chance quando Deus libera uma inundação de Sua cura.

Seus oponentes podem parecer poderosos. Podem ser maiores, mais fortes, mais bem equipados e mais bem financiados. Mas eles não terão a menor chance quando Deus abrir as comportas do Seu favor. Você precisa estar pronto não para uma gota, não para um córrego, não para um rio: prepare-se para uma inundação do favor de Deus, uma onda gigantesca da bondade de Deus, um *tsunami* de bênçãos.

Talvez você esteja pensando em uma "gota" quando Deus na verdade tem um oceano inteiro à disposição para usar em seu favor. Você está pensando em um "córrego" quando Deus tem uma correnteza. Você deve ampliar sua visão. Atreva-se a aumentar a sua fé. Deus quer liberar Seu favor como uma inundação. Ele quer maravilhá-lo com Sua bondade.

DIA 19

EU DECLARO que há uma unção de facilidade sobre a minha vida. Deus vai adiante de mim, aplainando os terrenos acidentados. Seu jugo é suave e Seu fardo é leve. Não vou lutar continuamente. Não terei mais as dificuldades que costumava ter. O favor e a bênção de Deus em minha vida estão aliviando o fardo e a pressão que estão sobre mim. Esta é a minha declaração.

Jesus disse: "O meu jugo é suave e o meu fardo é leve". Deus quer tornar a sua vida mais fácil. Ele quer ajudá-lo quando você está preso em um engarrafamento, fazendo compras no supermercado, criando seus filhos e lidando com problemas no trabalho. Todos os dias você deve agradecer a Ele por Sua unção de facilidade.

Foi o que Davi fez. Ele declarou no Salmo 23: "Deus unge a minha cabeça com óleo". O óleo faz as coisas fluírem. Sempre quando há atrito ou algo está emperrado, o óleo é utilizado para lubrificá-las e torná-las mais fluidas. Isso é o que Deus faz por você ao ungir sua cabeça com óleo. Davi também disse: "Porque Deus me ungiu, certamente que a bondade e a misericórdia me acompanharão aonde quer que eu vá". Isso significa que as coisas serão mais fáceis. Aquilo que costumava ser uma luta, deixará de ser. Sem nenhum motivo aparente as pessoas sentirão desejo de ajudá-lo. Você terá oportunidades que não merece. Terá boas ideias, sabedoria, criatividade e não vai saber de onde isso veio. Isso é o óleo que Deus colocou sobre você. Sua unção de facilidade.

Certa vez, vivi uma situação difícil e não sabia como resolvê-la. Eu estava em outra cidade, longe de casa, e precisava muito que alguém me aconselhasse. Então, liguei para um amigo. Ele disse: "Joel, você precisa definitivamente falar com um dos meus sócios. Ele é um especialista nessa área, poderá ajudá-lo. Só que ele estará fora da cidade pelas próximas duas semanas".

Deus está dirigindo cada um dos seus passos.

Bem, eu não tinha duas semanas. Isso era como uma eternidade para mim. Ele me perguntou onde eu estava e eu lhe disse. Ele falou: "Você só pode estar brincando. Esse homem acabou de sair duas ou três horas atrás e é exatamente para onde ele está indo".

Quando ele me deu o endereço, descobri que o homem com quem eu precisava falar estaria a menos de dois quilômetros de onde eu estava hospedado. Quando ouvi isso, sabia que Deus permanecia no Trono.

Lá estávamos nós, os dois, a milhares de quilômetros de casa. Poderíamos estar em qualquer lugar do mundo. Quais eram as probabilidades de estarmos a apenas cinco minutos de distância um do outro?

O que quero dizer com isso? Deus está dirigindo cada um dos seus passos. Ele já delineou as soluções para os seus problemas. Já criou as oportunidades de que você precisa. Quero que viva cada dia sabendo que há favor no seu futuro. Há restauração no seu futuro. Há cura no seu futuro. Há boas oportunidades à sua frente. Se você permanecer firme na fé, verá o favor de Deus tornar sua vida mais fácil.

DIA 20

EU DECLARO que sou calmo e pacífico. Não vou deixar as pessoas ou as circunstâncias me aborrecerem. Vou me erguer acima de cada dificuldade, sabendo que Deus me deu o poder de manter a calma. Escolho viver uma vida feliz, florescer onde for colocado e deixar que Deus lute minhas batalhas. Esta é a minha declaração.

Uma senhora me contou que um dos parentes de seu marido era uma pessoa muito crítica. Ele estava sempre fazendo comentários mordazes, observações depreciativas a respeito dela. Ela havia se casado há pouco tempo, e toda vez que ia com seu marido a uma reunião de família, esse parente dizia algo para ofendê-la. Ela ficava bastante chateada e isso acabava com o seu dia. Essa senhora chegou ao ponto de se recusar a ir aos eventos de família. Por fim, ela disse ao seu marido: "Você precisa tomar uma atitude a respeito desse homem. Ele é seu parente".

Ela estava esperando que o marido dissesse: "Você está certa, querida. Ele não deveria falar assim com você. Vou colocá-lo em seu devido lugar". Mas o marido fez exatamente o oposto. Ele disse: "Querida, eu te amo, mas não posso controlá-lo. Ele tem todo o direito de ter a opinião dele. Ele pode dizer o que quiser, mas você tem todo o direito de não ficar ofendida".

No início, ela não conseguiu entender por que seu marido não iria defendê-la. Ela ficou aborrecida inúmeras vezes. Se aquele parente estivesse em uma sala, ela ia para outra. Se ele fosse para fora da casa, ela certificava-se de continuar lá dentro. Seu foco era sempre se esquivar daquele homem.

Um dia, ela percebeu que estava abrindo mão de seu poder. Era como se uma luz tivesse se acendido em sua mente. Ela foi permitindo que uma pessoa polêmica a impedisse de se tornar o que estava destinada a ser.

Ao permitir que as palavras ou ações de alguém o incomodem, você está permitindo que essa pessoa o controle.

Ao permitir que as palavras ou ações de alguém o incomodem, você está permitindo que essa pessoa o controle. Quando você diz: "você está me deixando louco", o que você realmente está fazendo é admitir que está abrindo mão do seu poder. Enquanto essa pessoa souber que consegue atingir você quando age de determinada maneira, você estará lhe dando exatamente o que ela quer.

As pessoas têm o direito de dizer e fazer o que quiserem, desde que não estejam violando a lei. Mas temos o direito de não ficar ofendidos, de passar por cima disso. Mas quando ficamos chateados e com raiva, nós mudamos. Estamos dando muita importância ao que pensam sobre nós. O que dizem sobre você não define quem você é. A opinião de outras pessoas a seu respeito não determina o seu valor. Não permita que essas coisas o atinjam; esteja vacinado contra elas. As pessoas têm todo o direito de ter a opinião delas, e você tem todo o direito de ignorá-las.

DIA 21

EU DECLARO o favor sobrenatural de Deus sobre a minha vida. O que não consegui realizar sozinho, Deus realizará por mim. Cura, restauração, vitórias e oportunidades sobrenaturais estão vindo em minha direção. Estou me tornando alguém mais forte, mais saudável e mais sábio. Descobrirei ter talentos os quais desconhecia e realizarei o sonho que me foi dado por Deus. Esta é a minha declaração.

Na Bíblia, Deus prometeu a Sara que ela teria um filho. No início, ela não acreditou. Ela se achava muito velha. Amo o que Deus lhe disse em Gênesis 18:14: "Existe alguma coisa impossível para o Senhor?"

Deus diz isso a cada um de nós. "Existe alguma coisa muito difícil para Mim?" Você acha que seus sonhos são grandes demais para Deus realizar? Você acha que seu relacionamento já chegou a um ponto no qual nem mesmo Deus pode restaurá-lo? Você acha que simplesmente vai ter de viver com essa doença pelo resto de sua vida?

Não pense assim! Receba uma nova visão hoje. Adote uma nova atitude. Deus está dizendo: "Eu sou Todo-Poderoso. Posso transformar qualquer situação".

Não importa como as coisas aparentam ser no mundo natural. Ele é um Deus sobrenatural.

A versão da Bíblia em língua inglesa *Amplified Bible* diz: "Há qualquer coisa demasiadamente extraordinária para o Senhor?"

Deus diz: "Se você permitir, vou maravilhá-lo com a minha bondade. Não só atenderei às suas necessidades, como também irei um pouco mais longe. Vou satisfazer os desejos do seu coração" (2 Coríntios 9:8-9, NVI). Uma tradução diz: "As petições secretas do seu coração". São os seus sonhos escondidos, aqueles desejos secretos, aquelas promessas que você não contou a ninguém. É só entre você e Deus. Saiba de uma coisa hoje: Deus quer realizar as suas petições secretas. Você consegue depositar sua fé nessa promessa? Consegue visualizá-la?

Deus é quem coloca o sonho em seu coração...
Ele quer maravilhá-lo com Sua bondade.

Às vezes pensamos: *Deus tem coisas maiores para fazer do que tornar realidade esse negócio ou essa viagem ao exterior para ver os meus parentes. Não posso incomodar Deus com isso. Não é tão importante assim.*

É exatamente o oposto. Deus é quem coloca o sonho em seu coração. Como pai, amo fazer coisas boas pelos meus filhos; amo fazê-los felizes a cada dia. Quero que você receba uma revelação do quanto Seu Pai Celestial deseja ardentemente ser bom para com você. Ele quer maravilhá-lo com Sua bondade.

Quando você crê, as coisas começam a se mover. Deus quer lhe conceder os desejos do seu coração. Acredito que agora mesmo, por causa da sua fé, porque você está declarando: "Senhor, eu creio", Deus está organizando as circunstâncias e fazendo-as cooperar em seu favor. Ele está mobilizando as pessoas certas e providenciando as oportunidades corretas. Nos próximos dias, você verá uma multiplicação sobrenatural e bênçãos transbordantes em seu caminho.

DIA 22

EU DECLARO que viverei vitoriosamente. Fui criado à imagem de Deus. Tenho o DNA de um vencedor. Fui coroado com o favor de Deus. Sangue real flui pelas minhas veias. Sou a cabeça, nunca a cauda; estou por cima, nunca por baixo. Vou viver com propósito, paixão e louvor, sabendo que estou destinado a viver em vitória. Esta é a minha declaração.

Romanos 5:17 diz: "Reinaremos em vida como reis". Quando Deus olha para nós, Ele não nos vê derrotados, mal conseguindo nos manter de pé ou apenas ocupando os espaços que ninguém mais quis. De modo nenhum. Deus o vê como um rei. Ele a vê como uma rainha. Você tem o Seu sangue real correndo nas veias. Você e eu deveríamos reinar na vida.

Você sabe o que a palavra *reinar* significa? Significa "tempo no poder". Por quanto tempo Deus disse que devemos reinar? Em vida. Isso significa que, enquanto você estiver vivo, esse é o seu tempo no poder. Você não tem um mandato de quatro anos, como um prefeito ou um presidente. Seu tempo no poder, seu tempo para ser vitorioso, ir ainda mais longe e realizar grandes coisas, inclui todos os dias de sua vida.

E naqueles dias nos quais não se sentir como um rei ou uma rainha, lembre-se de simplesmente estender a mão e verificar o seu pulso. Enquanto você sentir o seu coração pulsando, poderá dizer: "Você não sabe de nada. Ainda é o meu tempo de reinar". Deixe que isso sirva de lembrete para você e adote uma nova postura.

Aja de acordo com o que você sabe.

Às vezes você terá de fazer isso pela fé. Talvez você não se sinta vitorioso. Talvez não se pareça com alguém abençoado. Mas há um ditado em inglês que diz: "Finja que é real até que se torne real". Pela fé, você precisa andar como um rei, falar como um rei, pensar como um rei, vestir-se como um rei, sorrir como um rei. Aja de acordo com o que você sabe. Há realeza em seu DNA. Você tem o sangue de um vencedor. Você foi criado para reinar em vida.

Muitas pessoas estão vivendo aquém de seus privilégios. Isso porque a visão delas foi ofuscada por decepções, erros do passado ou pela maneira como foram criadas. Elas não se sentem como membros da realeza. Não creem que possam ser bem-sucedidas e realizar o que Deus colocou em seus corações. Mas hoje, pela fé, acredito que algo está acontecendo no seu interior.

Novas sementes estão criando raízes; fortalezas que podem tê-lo mantido preso durante anos, estão sendo quebradas neste momento. Você precisa se levantar e dizer: "É isso aí. Não estou acomodado onde estou. Sei que esse ainda é o momento de estar no poder. Sim, talvez eu tenha ficado parado por um tempo, mas tenho um anúncio a fazer. Estou voltando. Vou começar a ser quem Deus me criou para ser".

DIA 23

EU DECLARO que sou alguém que edifica os outros. Buscarei oportunidades de encorajá-los, para que possam mostrar o que têm de melhor. Ajudarei pessoas a realizarem seus sonhos. Falarei palavras de fé e vitória, apoiando-as, aceitando-as e fazendo-as perceber que são valorizadas. Evocarei suas sementes de grandeza, ajudando-as a ir ainda mais longe e se tornarem tudo o que Deus as criou para ser. Esta é minha declaração.

DIA 23

[illegible]

Sabe quantas pessoas nunca ouviram alguém dizer: "Você é um vencedor?" É muito provável que neste momento você conviva com algumas delas — pessoas com quem você trabalha, com quem você joga bola, talvez até mesmo seus familiares — que estão ávidas por sua aprovação. Essas pessoas estão implorando que você declare palavras de bênção sobre a vida delas.

Você não sabe a importância que terá apoiá-las, aceitá-las, dizer claramente que se orgulha delas e acredita que elas realizarão coisas grandiosas. Todo mundo precisa ser valorizado. Todo mundo deve ser reconhecido. Todos precisam dessa bênção.

Deixe-me lhe perguntar algo: que tipo de sementes você tem plantando na vida de seu filho, cônjuge, amigo, sobrinho? Você acredita no potencial de alguém? Está interessado em descobrir como pode tornar a vida de alguém melhor? Dê ouvidos aos sonhos de outras pessoas. Descubra o que Deus tem colocado em seus corações. Deixe-as saber que você as apoia. Dê a elas o seu apoio.

Todo mundo precisa ser valorizado. Todo mundo deve ser reconhecido. Todos precisam dessa bênção.

Se você conversar com qualquer pessoa de sucesso, ela irá lhe dizer que alguém acreditou nela. Alguém plantou uma semente e a encorajou quando ela estava se sentindo para baixo. Alguém a ajudou para que ela pudesse ter uma boa oportunidade. Alguém falou palavras de fé quando ela acreditava não ser capaz de fazer algo.

Thomas Edison encorajou Henry Ford. O Sr. Ford lhe foi apresentado como "o homem que estava tentando construir um carro que fosse movido à gasolina". Quando Edison o ouviu falar, seu rosto iluminou-se. Ele deu um soco na mesa e disse: "Que ideia genial. Um carro que tem sua própria central de energia! Essa é uma ideia brilhante".

Até aquele momento, ninguém havia incentivado o Sr. Ford. Ninguém havia considerado até então que aquela era uma boa ideia. Ele estava quase desistindo, mas Edison lhe falou palavras de fé. Esse foi um momento decisivo na vida de Henry Ford. Ele disse: "Eu achava que tinha uma boa ideia, mas comecei a duvidar de mim mesmo. Então, veio uma das maiores mentes que já viveu e me deu o seu apoio total".

Isso é o que pode acontecer com um simples voto de confiança. Não percebemos o poder que temos. Nem sempre percebemos o que significa quando dizemos a alguém: "Eu acredito em você. Você é capaz. Pode contar com 100% do meu apoio".

E, de fato, cada um de nós deveria ser o fã número um de alguém. Deveríamos incentivar as pessoas, levantá-las quando caem, celebrar quando têm êxito, orar quando têm dificuldades, encorajá-las a avançar. Isso é o que significa ser alguém que edifica outras pessoas.

DIA 24

EU DECLARO que falarei apenas palavras edificantes, cheias de fé e vitória a respeito de mim mesmo, da minha família e do meu futuro. Não vou usar as minhas palavras para descrever a situação. Vou usá-las para mudar a minha situação. Evocarei o favor de Deus, boas oportunidades, cura e restauração. Não vou falar com Deus sobre o tamanho dos meus problemas, dizendo o quanto eles são grandes. Falarei com os meus problemas sobre o tamanho do meu Deus e mostrarei a eles quão grandioso Ele é. Esta é a minha declaração.

Precisamos prestar atenção às coisas que dizemos. Conheço pessoas que estão sempre falando sobre o quanto estão cansadas e esgotadas. Elas falam tanto sobre o assunto que acaba se tornando realidade. Quanto mais você fala sobre coisas que não são boas em sua vida, mais espaço você abre para elas. Então, se acordar sentindo-se cansado e letárgico, em vez de reclamar, você precisa declarar: "Eu sou forte. Estou cheio de energia. Deus está renovando a minha força. Sou capaz de fazer o que precisa ser feito hoje".

Às vezes, quando estamos viajando muito e estamos bastante ocupados, vamos à igreja e minha esposa Victoria diz: "Joel, estou tão cansada. Olhe só os meus olhos. Viu como eles estão vermelhos?"

Eu sempre digo: "Não, Victoria. Você está ótima. Está linda como sempre".

Ela me conhece muito bem. "Não, não estou", ela diz. "Conheço você. Você simplesmente não vai admitir isso."

Victoria está certa. Não vou concordar quando ela diz que não parece bem. Não quero falar palavras de derrota, mas sim de vitória. Muitas vezes eu me pergunto o que ela pensaria se um dia eu dissesse: "Ah, é Victoria. Você não parece nada bem. Parece tão cansada. Você vai realmente usar essa roupa?"

Eu teria de encontrar uma carona para casa! Então, continuo a falar palavras de esperança. Quanto mais falamos sobre estar cansado, mais cansados ficamos. Quanto mais falamos sobre estar deprimido, mais deprimidos ficamos. Quanto mais você fala sobre seu excesso de peso, mais fora de forma você fica. Mude o seu discurso para um discurso vitorioso.

Não fale sobre como você é. Fale sobre como você quer ser.

Uma jovem que faz parte da equipe da Igreja Lakewood disse ao grupo de mulheres que, todas as manhãs, antes de sair de casa, ela se olha no espelho e diz: "Menina, você está linda hoje".

Eu a vi um tempo atrás e perguntei se ela continuava a fazer isso. Ela disse: "Claro. Na verdade, esta manhã, Joel, quando me olhei no espelho, eu disse: 'Menina, alguns dias você está bem, mas hoje você está ótima'".

Encorajo você a ter a mesma ousadia. Encoraje a si mesmo. Não declare palavras de derrota sobre a sua vida. Seja ousado e atreva-se a dizer: "Estou ótimo hoje. Sou feito à imagem do Deus Todo-Poderoso. Sou forte e talentoso. Sou abençoado. Sou criativo. Terei um dia produtivo".

DIA 25

EU DECLARO que não vou apenas sobreviver; serei próspero! Prosperarei apesar de toda dificuldade que possa aparecer no meu caminho. Sei que cada contratempo é um ponto de partida para um contra-ataque. Não vou ficar estagnado, desistir dos meus sonhos nem me acomodar onde estou. Sei que um toque do favor de Deus pode mudar tudo. Estou pronto para viver um ano de bênçãos e um ano de prosperidade! Esta é a minha declaração.

Algumas pessoas ficam presas à ideia de que precisam sobreviver, em vez de se prenderem à ideia de que precisam prosperar. Elas veem tantas más notícias no jornal que chegam à conclusão: "As coisas vão tão mal. Como posso encontrar sucesso?"

Assim como você pode ser encorajado a simplesmente sobreviver, quero lhe encorajar a prosperar. Sei que precisamos usar a sabedoria que Deus nos deu. Mas não acredito que devemos retroceder a ponto de não mais perseguir os nossos sonhos, de não mais esperar pela multiplicação ou favor de Deus. Não creio que devamos apenas nos agarrar ao que temos, tentando manter essas coisas a todo custo. Essa é uma mentalidade de sobrevivência.

Lembre-se disto: assim como Deus tomou os cinco pães e os dois peixes e os multiplicou para alimentar milhares de pessoas, Ele pode multiplicar o que você tem. Deus pode multiplicar seu tempo e ajudá-lo a fazer mais. Pode multiplicar sua sabedoria e ajudá-lo a tomar melhores decisões.

Deus pode multiplicar seu tempo e ajudá-lo a fazer mais. Pode multiplicar sua sabedoria e ajudá-lo a tomar melhores decisões.

Deus está no controle total das situações. Ao passar por momentos difíceis, não se encolha e pense: *Ah, as coisas vão muito mal. Se eu puder simplesmente segurar as pontas e sobreviver a mais um ano...*

Não pense assim! Seja determinado e diga: "Não irei apenas sobreviver. Vou prosperar. Prosperarei apesar das dificuldades".

Uma jovem me disse que lutou por seu casamento por um longo tempo. Ela fez o seu melhor para que as coisas dessem certo, mas simplesmente não funcionou. Ela disse: "Joel, bem, ao menos eu sobrevivi". Ela estava feliz por simplesmente ter conseguido aguentar, mas pude ver que ela parecia estar navegando em águas paradas. Era uma jovem bonita, mas tinha perdido sua chama interior. Tinha perdido o brilho em seus olhos.

Eu disse a ela o que estou dizendo a você: você sobreviveu, mas não pode manter essa mentalidade de sobrevivência. Deus tem novos tempos à sua frente. Ele tem novas portas que deseja abrir. Ele quer que a sua vida seja melhor agora do que foi até então.

Uma mentalidade de sobrevivência vai impedi-lo de experimentar o melhor de Deus. Livre-se dela e diga: "Deus, o Senhor prometeu que tudo o que estava destinado a ser para o meu mal o Senhor iria usar em meu favor. Posso ter passado por fogo, fome, inundação, mas sei que esse é o momento no qual provarei do Seu favor. É o momento no qual verei mais da Sua bondade em minha vida".

Não deixe a sua fé esmorecer. Quero que você comece a esperar por uma multiplicação ainda maior da parte de Deus. Tenha a expectativa de que esse será o melhor ano de sua vida até agora!

DIA 26

EU DECLARO que escolherei a fé, e não o medo! Vou meditar sobre o que é bom e positivo acerca da situação que estou vivendo. Não gastarei minha energia me preocupando, mas crendo. O medo não faz parte da minha vida. Não vou perder tempo com pensamentos cheios de desânimo e negatividade. Minha mente está focada no que Deus diz a meu respeito. Sei que o Seu plano para mim é que eu seja bem-sucedido, vitorioso e viva em abundância. Esta é a minha declaração.

O medo e a fé têm algo em comum. Ambos nos fazem acreditar que algo que não podemos ver acontecerá.

O medo diz: "Creia na pior possibilidade possível. Essa dor que está sentindo? Sua avó morreu da mesma coisa. Provavelmente será seu fim".

A fé diz: "Essa doença não é permanente. É passageira".

O medo diz: "Os negócios vão mal. Você vai se afundar".

A fé diz: "Deus está suprindo todas as suas necessidades".

O medo diz: "Você já passou por muita coisa. Você nunca será feliz".

A fé diz: "Seus melhores dias ainda estão por vir".

Não gaste sua energia se preocupando. Use sua energia para acreditar.

Aqui está o segredo: aquilo no qual meditamos cria raízes. Se passarmos o dia todo pensando sobre nossos medos, remoendo-os repetidamente em nossa mente, eles se tornam uma realidade.

Jó disse: "O que eu temia veio sobre mim" (Jó 3:25).

Certo homem me disse que quando tudo estava dando certo em sua vida — ele estava noivo, seus negócios estavam sendo abençoados — ele não conseguia desfrutar essas bênçãos. Em vez de agradecer a Deus, ele ficava com medo de que aquilo não fosse durar e que fosse bom demais para ser verdade.

Eu lhe disse: "Você está ajudando seus medos a se tornarem realidade. Quando os pensamentos negativos vierem, não os deixe criar raízes. Simplesmente mude sua atitude e aja com fé, dizendo: 'Pai, o Senhor disse que Seu favor me acompanhará por toda a minha vida. Disse que a bondade e a misericórdia me seguirão todos os dias da minha vida.'"

Isso é escolher a fé, e não o medo.

Hoje temos muitas oportunidades para nos preocupar e viver com medo. As pessoas estão preocupadas com a economia, com sua saúde, com seus filhos. Mas Deus está lhe dizendo: "Não gaste sua energia se preocupando. Use sua energia para acreditar".

É preciso a mesma quantidade de energia tanto para acreditar quanto para se preocupar. Dizer: "Deus está suprindo todas as minhas necessidades", é tão fácil quanto dizer: "Nunca vou ter sucesso".

Não espere o pior. Isso é usar a sua fé ao contrário.

Em vez disso, diga: "Deus, minha vida está em Tuas mãos. Sei que o Senhor está guiando e orientando os meus passos e não estou esperando pela derrota. Não estou esperando pelo fracasso. Estou esperando ter um ano abençoado. Estou esperando estar por cima e não por baixo".

DIA 27

EU DECLARO que estou equipado para toda boa obra planejada por Deus para mim. Sou ungido e capacitado pelo Criador do universo. Estou sendo liberto de todo jugo e limitação. Esta é minha hora de brilhar. Vou subir mais alto, superar todos os obstáculos e experimentar a vitória como nunca antes! Esta é minha declaração.

Deus o equipou e o capacitou com tudo o que você precisa. Você não tem de lutar e tentar fazer as coisas acontecerem. Você já possui a força, a criatividade e as ideias necessárias. Deus já mobilizou as pessoas certas. Ele já lhe deu as oportunidades de que você precisa ao ungi-lo com azeite, derramando sobre você Suas bênçãos e Sua graça.

Quando era criança, costumava jogar futebol americano na praia com vários de meus amigos. Naquela época, passava óleo bronzeador em todo o meu corpo para não ficar com a pele vermelha, mas bronzeada. E isso acabava por também me ajudar no jogo. Já sou naturalmente rápido, mas com aquele óleo, ninguém conseguia me segurar. Grandes caras com o dobro do meu tamanho me agarravam, mas eu escorregava de suas mãos. Eu tinha uma vantagem: estava coberto de óleo de cima a baixo.

O mesmo acontece quando você é ungido: as coisas que deveriam abatê-lo, não o fazem. Talvez você tenha sido demitido do trabalho. Você deveria se sentir desencorajado, mas, em vez disso, permanece firme na fé e acaba encontrando um trabalho melhor.

Deus pode tomar o que foi feito para meu mal, transformá-lo e usá-lo em meu favor.

Talvez você esteja se sentido desanimado porque um relacionamento chegou ao fim. Você deveria se sentir amargo, mas, em vez disso, permanece firme na fé e Deus abre outra porta para um relacionamento melhor.

Ao enfrentar momentos difíceis, lembre a si mesmo do seguinte: "Eu fui ungido para cumprir esse propósito. Não terei uma atitude negativista. Não perderei minha alegria. Vou permanecer cheio de louvor. Sei que Deus está no controle e acredito que Ele pode tomar o que foi feito para meu mal, transformá-lo e usá-lo em meu favor".

Se fizer isso, um dia você vai olhar para trás e perceber que conseguiu superar os momentos difíceis com a unção que Deus colocou em você. Ele lhe deu força quando você achava que não conseguiria ir em frente. Ele lhe deu alegria quando você deveria estar se sentindo desencorajado. Ele abriu uma porta quando você não via nenhuma saída. Você é agora capaz de olhar para trás e dizer comigo: "Onde eu estaria se não fosse pela bondade de Deus em minha vida?"

DIA 28

EU DECLARO que vou pedir a Deus por grandes coisas em minha vida. Vou orar com ousadia, esperando e acreditando em coisas grandiosas. Pedirei a Deus que realize os sonhos escondidos nas profundezas do meu coração. Se parecer que certas promessas não irão acontecer, não vou ficar intimidado nem desistir. Vou orar com ousadia, esperando que Deus manifeste Seu poder, sabendo que nada é difícil demais para Ele. Esta é a minha declaração.

Muitas vezes pensamos que não deveríamos pedir demais. Afinal de contas, não queremos ser gananciosos. Não queremos ser egoístas. Há pessoas que me dizem: "Joel, se Deus quiser que eu seja abençoado, Ele vai me abençoar. Ele é Deus".

Mas não é assim que funciona. Deus espera que peçamos. Tiago 4:2 diz: "Não têm, porque não pedem". Se você não está pedindo o favor de Deus, Suas bênçãos e Sua multiplicação, então você não está liberando a sua fé.

Conheço pessoas que pedem, mas apenas por coisas pequenas: "Deus, se o Senhor me der um aumento de cinquenta centavos..." Essas pessoas agem como se estivessem incomodando Deus com seus pedidos.

"Deus, se o Senhor simplesmente me ajudar a sobreviver a este casamento...", elas dizem.

Não tenha essa mentalidade, mas ouse pedir por coisas grandiosas. Jesus também falou sobre isso, usando as seguintes palavras: "De acordo com sua fé lhe será feito". Isso significa que se você orar pedindo pouco, receberá pouco. Mas se aprender a orar de maneira ousada e a pedir por coisas grandiosas, esperando por elas e acreditando nelas, isso permitirá que Deus faça grandes coisas em sua vida.

Se aprender a orar de maneira ousada... isso permitirá que Deus faça grandes coisas em sua vida.

Talvez, bem lá no fundo, no seu interior, você tenha um sonho, mas nunca pediu a Deus por ele. Não é errado pedir. Não é egoísta. Deus espera que peçamos.

A Bíblia diz no Salmo 2:8: "Pede-me, e te darei as nações". Deus está dizendo: "Peça-me grandes coisas. Peça-me aqueles sonhos escondidos que tenho plantado em seu coração. Peça-me aquelas promessas que ainda não se cumpriram e que parecem improváveis de acontecer no âmbito natural".

Durante o seu período devocional, no seu tempo de quietude com Deus — aquele momento entre Deus e você —, atreva-se a lhe pedir seus mais profundos desejos, seus mais profundos sonhos. Pode parecer impossível, mas apenas seja honesto e diga: "Deus, não vejo como isso poderia acontecer, mas tenho um sonho de começar um negócio próprio. Deus, estou lhe pedindo para me ajudar". Ou: "Deus, amaria voltar para a faculdade, mas não tenho tempo. Não tenho dinheiro. Deus, estou pedindo que abras um caminho".

Ouse pedir a Deus seus maiores sonhos, seus maiores desejos.

DIA 29

EU DECLARO que Deus está fazendo com que todas as coisas contribuam juntamente para o meu bem. Deus tem um plano perfeito para a minha vida. Há coisas que não entendo direito, mas agora não estou preocupado. Sei que ainda faltam peças. Um dia, todas elas irão se encaixar e tudo fará sentido. Vou ver o plano maravilhoso de Deus me levando a lugares que nunca sonhei. Esta é minha declaração.

Todo mundo lida com decepções e desafios que não parecem fazer sentido. É fácil ficar desanimado e pensar: *por que isso aconteceu comigo? Por que a pessoa que amo não consegue ter sucesso? Por que essa pessoa me tratou mal? Por que fui demitido?*

Quero que você entenda que, ainda que a vida não seja sempre justa, Deus é justo. E Ele promete em Romanos 8:28 que todas as coisas contribuem juntamente para o nosso bem. Acredito que a palavra-chave é *juntamente*. Você não pode isolar um desafio que vive em uma área de sua vida e dizer: "Bem, minha vida inteira está arruinada". Isso é apenas uma parte de sua vida. Deus consegue ter uma visão geral.

Uma decepção não é o fim. Sua vida não para por causa de um único contratempo. O desafio que você está enfrentando é simplesmente uma peça de seu quebra-cabeça, mas lembre-se de que há outra peça a caminho que irá dar sentido a tudo. Ela trabalhará juntamente com as outras para o seu bem.

Não seja impaciente. Não acaba até que Deus diga que acabou.

Algumas pessoas se tornam amargas enquanto esperam que todas as peças se juntem. Deus lhe prometeu um plano grandioso. Ele o predestinou para viver em vitória. Portanto, quando ocorrerem eventos que você não entende — momentos difíceis que não fazem sentido —, não se permita ficar paralisado. Deus tem mais peças vindo em sua direção.

Talvez você tenha a sensação de que há algo faltando, quer seja na área financeira, na carreira ou no casamento. Mas basta Deus encaixar mais algumas peças no quebra-cabeça para sua vida parecer inteira e completa. Essas peças novas podem ser as pessoas certas, as oportunidades certas ou o acontecimento certo na hora certa.

Não seja impaciente. Não acaba até que Deus diga que acabou. Se continuar a seguir em frente, um dia você olhará para trás e verá como tudo fez parte do plano perfeito que Deus projetou para sua vida. Você precisa ter uma certeza interior profunda, uma certeza em seu coração, que diz: "Sei que Deus tem um grande plano para a minha vida. Sei que Ele está dirigindo os meus passos. E muito embora eu não consiga entender, sei que nada é inesperado para Deus. De alguma forma, de alguma maneira, Ele usará isso em meu favor".

DIA 30

EU DECLARO que Deus vai adiante de mim aplainando os lugares acidentados. Ele já providenciou as pessoas e as oportunidades certas, bem como as soluções que eu não tinha para os problemas. Nenhuma pessoa, nem doença, nem decepção pode deter o Seu plano. O que Ele prometeu vai acontecer. Esta é a minha declaração.

Um amigo me disse que estava tentando resolver uma situação na justiça há algum tempo, mas se deparou com um burocrata do governo que lhe disse que levaria dois anos para seu pedido ser aprovado. Meu amigo, muito gentil e educadamente, perguntou: "Existe alguma maneira de resolver isso mais rapidamente?"

O homem, que era o funcionário responsável por essa secretaria, respondeu de forma muito áspera: "Eu disse que levará dois anos porque levará dois anos. O sistema é todo analisado e revisado. Tenho muito trabalho a fazer antes de poder tratar do seu caso. Vai levar um longo tempo para você conseguir a papelada de que precisa".

Meu amigo não desistiu.

"Bem, está certo", ele disse, "mas vou orar e acreditar que de alguma forma Deus fará com que as coisas aconteçam mais rapidamente".

Isso fez com que o burocrata ficasse ainda mais irritado. E ele respondeu sarcasticamente: "Ore o quanto quiser, mas eu sou a pessoa encarregada e estou lhe dizendo que levará dois anos".

Seis semanas depois, o mesmo funcionário chamou meu amigo e disse: "Pode vir buscar a documentação, está pronta".

Meu amigo achou que era um erro. "Você tem certeza de que é minha?", ele perguntou.

"Sim, tenho certeza", disse o burocrata.

Meu amigo foi lá o mais rápido que pôde, e disse ao funcionário: "Muito obrigado. Mas pensei que você tinha dito que levaria pelo menos dois anos".

"Eu disse", falou o burocrata. "Mas desde que eu o conheci não consegui tirá-lo da minha cabeça. Acordo de manhã pensando em você. Almoço pensando em você. Vou para a cama pensando em você. Estou absolutamente farto de pensar em você. Leve a sua papelada e vá embora."

O Deus Todo-Poderoso vai adiante de nós, lutando nossas batalhas.

A Bíblia diz em Deuteronômio, capítulo 9: "Hoje você está prestes a enfrentar pessoas maiores e mais poderosas". Depois, vem a promessa: "Mas o Senhor, o seu Deus, vai adiante de você como fogo consumidor. Ele os exterminará e os subjugará para que você possa rapidamente conquistá-los".

Você pode estar enfrentando uma situação que parece impossível de ser solucionada, como a do meu amigo. Pode parecer que você não tem alternativas, mas Deus cuidará de seus inimigos para que você possa conquistá-los rapidamente.

Não é por nossa força ou por nosso poder. É por causa do Deus Todo-Poderoso, Aquele que sustenta o nosso futuro em Suas mãos e vai adiante de nós, lutando nossas batalhas, aplainando os lugares acidentados, e até mesmo fazendo com que os nossos inimigos queiram ser bons para conosco.

DIA 31

EU DECLARO que tudo o que não se alinha com a visão de Deus para a minha vida está sujeito a mudanças. Doença, problemas, carência, mediocridade, nada disso é permanente. São apenas circunstâncias temporárias. Não vou ser movido por aquilo que vejo, mas por aquilo que sei. Sou um vencedor e nunca uma vítima. Vou me tornar tudo que Deus me criou para ser. Esta é a minha declaração.

Na Bíblia, José tinha um grande sonho em seu coração: quando era jovem, Deus prometeu que ele seria um grande líder e iria até mesmo governar uma nação. Mas antes que esse sonho se tornasse realidade, José sofreu muitas adversidades.

Seus irmãos tinham ciúmes dele. Eles lançaram-no em um poço profundo. Eles o deixaram lá para morrer. Mas José entendeu o que está escrito em 2 Coríntios 4:18: "O que se vê é transitório". Uma tradução diz que as coisas que são vistas estão "sujeitas a mudanças, mas as coisas que não são vistas são eternas".

As coisas que vemos por meio dos nossos olhos físicos são apenas temporárias, mas as coisas que vemos por meio dos nossos olhos da fé são eternas. No entanto, muitas vezes permitimos que as coisas temporárias nos desencorajem e nos levem a desistir dos nossos sonhos.

Qualquer coisa que não se alinhe com a visão que Deus colocou em seu coração não deveria ser vista como permanente, mas como sujeita a mudanças. José compreendeu esse princípio. Quando ele foi jogado no poço, sabia que o seu destino não se alinhava com a visão que Deus tinha pintado na tela de seu coração.

Qualquer coisa que não se alinhe com a visão que Deus colocou em seu coração não deveria ser vista como permanente, mas como sujeita a mudanças.

José via a si mesmo como um grande líder, por essa razão ele não ficou desencorajado com o que aconteceu. Ele sabia que o fundo do poço era apenas temporário, pois não se alinhava com o que viu por meio dos olhos da fé. Em pouco tempo, uma caravana veio, e ele foi resgatado e levado para o Egito.

Durante anos, José trabalhou como escravo no Egito. Mas, novamente, ele não se deixou abater. Ele simplesmente conferia o quadro que estava em seu coração e dizia: "Não, este não é quem sou. Ser um escravo não corresponde à promessa que Deus colocou sobre a minha vida. Isto também passará".

Ano após ano houve decepções, contratempos, situações injustas. Ele apenas continuava a conferir a imagem que Deus havia colocado em seu coração. Um dia, as portas certas de fato se abriram. José foi colocado no comando de todo o Egito. Dessa vez, ele poderia finalmente dizer: "Agora sim, isto é permanente. Isto é o que tenho visto na minha imaginação todos esses anos".

Todos nós enfrentamos decepções, contratempos e situações injustas. Às vezes você se sente como se tivesse sido jogado em um poço. Mas em vez de desanimar e deixar que isso ofusque a sua visão, simplesmente olhe para dentro de si mesmo. Você vai ver que aquele poço não corresponde à visão que Deus colocou em seu coração. Como José, você pode dizer: "Isto não é permanente. Esta é apenas mais outra parada no caminho rumo ao destino que Deus reservou para mim!"

CONCLUSÃO

Gostaria de deixar um último pensamento com você. Para viver em vitória, você deve ter uma fé que move montanhas. Todos nós enfrentamos montanhas na vida. Pode ser uma "montanha" em seu casamento — você não entende como é possível você e seu cônjuge continuarem juntos. Talvez seja uma montanha nas finanças, na saúde ou algo que o impede de realizar seus sonhos.

Muitas vezes oramos por nossas montanhas: *Deus, por favor, me ajude. Deus, por favor, trabalhe na vida do meu filho. Deus, por favor, tire de mim esse medo.* E, de fato, é bom orar. É bom pedir a Deus para ajudá-lo. Mas quando você enfrenta uma montanha, não é suficiente apenas orar. Não é suficiente apenas crer. Não é suficiente apenas ter bons pensamentos. Aqui está o segredo: você precisa *falar* com as suas montanhas. Jesus disse em Marcos 11:23: "Eu lhes asseguro que se alguém disser a este monte: 'Levante-se e atire-se no mar', e não duvidar em seu coração, mas crer que acontecerá o que diz, assim lhe será feito" (NVI).

Talvez você esteja orando por coisas com as quais deveria estar falando. Você não precisa mais orar sobre esse medo. Você precisa dizer: "Medo, ordeno que saia. Não vou permitir você na minha vida". Se tiver problemas de saúde, em vez de implorar a Deus para curá-lo, você precisa declarar a essa doença: "Você não tem direito sobre o meu corpo. Sou um filho do Deus Altíssimo. Você não é bem-vinda aqui. E não estou pedindo para você ir embora. Não estou dizendo, 'por favor, faça isso por mim'. Não. Estou ordenando que você deixe meu corpo".

Aprendi que se você não falar com as suas montanhas, suas montanhas vão falar com você. Ao longo de todo o dia, pensamentos negativos virão à sua mente — eles são as suas montanhas falando com você.

Você pode se acomodar e acreditar em mentiras ou pode se erguer e declarar: "Eu estou no controle. Não vou permitir que as minhas montanhas falem comigo. Montanha, estou dizendo a você: mova-se. Você não vai me derrotar'".

Não é uma coincidência que Deus tenha escolhido uma montanha para representar nossos problemas. Montanhas são grandes. Montanhas parecem permanentes, como se fossem ficar lá para sempre. Mas Deus diz que se você falar com as montanhas, vai descobrir que elas não são permanentes.

Se você tem lidado com doenças, depressão ou vícios por muito tempo, talvez tenha a impressão que as coisas nunca vão mudar. Entretanto, quando você declara palavras cheias de fé, algo acontece no reino invisível. Montanhas desmoronam. As forças das trevas são derrotadas. O inimigo treme.

Quando você declara, não na sua autoridade, mas na autoridade do Filho do Deus vivo, todas as forças do céu se voltam para a sua situação. Os poderosos exércitos do invisível Deus Altíssimo vão apoiá-lo. Deixe-me lhe dizer isto: nenhum poder pode prevalecer contra o nosso Deus. Nenhuma doença. Nenhuma dependência. Nenhum medo. Nenhuma questão judicial. Quando você fala sem duvidar, a montanha é removida.

Contudo, a montanha talvez não se mova de um dia para o outro. Pode parecer que ela continua igual mês após mês. Não se preocupe. No reino invisível, as coisas estão mudando em seu favor. Ao andar por uma cidade, Jesus viu uma figueira e foi buscar algo para comer, mas a árvore não tinha nenhum fruto. Ele olhou para a árvore e disse: "Nunca mais dê frutos!"

Note que Jesus falou com uma árvore. As pessoas de fé falam com seus obstáculos. Quando Jesus se afastou, parecia que nada tinha acontecido. A árvore estava tão verde e saudável quanto era antes. Estou certo de que alguns de seus discípulos sussurraram: "Não deu certo. Acho que Jesus deve ter perdido o jeito, por que Ele disse à árvore para morrer, mas ela não morreu". Eles, entretanto, não viram o que estava acontecendo embaixo da terra porque, no momento em que Jesus falou, toda a vida foi cortada das raízes daquela árvore.

Ao voltarem à cidade um pouco mais tarde, os discípulos olharam para aquela figueira com espanto, pois viram que ela havia secado, estava totalmente morta (ver Marcos 11:12-25). Do mesmo modo, no momento em que você fala com suas montanhas, algo acontece no reino invisível, as forças do céu trabalham. Deus envia anjos. Ele luta suas batalhas. Ele libera favor. Deus retira as pessoas erradas do seu caminho, envia cura, faz você avançar e lhe concede vitória.

Talvez demore algum tempo até que você veja o que Deus está fazendo. Aquela montanha pode parecer tão grande, permanente e forte quanto era antes. Mas se você permanecer firme na fé e simplesmente continuar a falar à montanha, declarando que ela já foi removida, que você é saudável, abençoado e vitorioso — um dia, subitamente, você vai ver que a montanha foi removida.

Deus fará sobrenaturalmente por você o que você não foi capaz de fazer por si mesmo. Foi isso que aconteceu com minha mãe. Ela foi diagnosticada com câncer terminal em 1981. Após vinte e um dias no hospital, ela voltou para casa. Ela e meu pai foram para o quarto e ficaram de joelhos. E não só oraram e pediram a Deus para curá-la, mas falaram com o câncer e ordenaram que ele saísse.

Há um tempo para orar. Mas há um tempo para falar. Você não fala *sobre* as suas montanhas, você fala *com* as suas montanhas. Você declara que elas saiam. Jesus não orou a respeito da figueira. Ele não disse: "Bem, creio que agora essa árvore não produzirá mais fruto", mas ordenou que ela não produzisse fruto.

Você deveria declarar às suas montanhas que elas se movam, sejam elas doença, depressão, conflitos ou divisão em sua família. Declare a cada montanha: "Seja removida", e você terá o que diz.

Aqui está o segredo: suas montanhas respondem à sua voz. Posso falar a respeito da fé com você um dia inteiro. Seus amigos podem edificá-lo com passagens da Bíblia. Você pode pôr para tocar uma boa música cristã que lhe trará incentivo e inspiração. E tudo isso é importante. Tudo isso é bom.

Mas a sua montanha irá responder somente à *sua voz*. Quando você se levantar pela fé e declarar: "Doença, vício, depressão, deixe a minha vida. Em nome de Jesus, você tem de ir embora", as forças do céu se voltarão para você.

Davi falou com a sua "montanha"; na verdade, tratava-se de um inimigo. Ele olhou Golias nos olhos e declarou: "Você vem contra mim com espada, com lança e com dardos, mas eu vou contra você em nome do Senhor dos Exércitos, o Deus dos exércitos de Israel".

Ele declarou à sua montanha: "Golias, neste dia o Senhor o entregará em minhas mãos. Vou derrotá-lo e sua cabeça servirá de alimento para as aves do céu". Davi quis dizer o seguinte: "Você pode ser grande, mas sei que o meu Deus é maior. E Deus prometeu que iria remover a montanha quando eu falasse com ela".

Talvez você tenha a impressão de que há muitos obstáculos entre você e os sonhos que lhe foram dados por Deus.

Você está exatamente na mesma situação que Davi. Simplesmente orar sobre isso não é o bastante. Apenas acreditar que você irá melhorar não é o bastante. Agora, mais do que nunca, você precisa declarar: "Montanha das dívidas, montanha do vício, montanha da depressão, pode parecer que tudo está acabado, mas estou aqui para declarar a você que este não é o fim. Você não vai me derrotar. Você vem contra mim com armas naturais, mas vou contra você em nome do Senhor Deus de Israel. E sei que quando invoco o nome de Jesus, todas as forças do céu se voltam em minha direção. Então, declaro que você está removida. Vou viver, e não morrer. Sou abençoado e não posso ser amaldiçoado. Sou um vencedor, e não uma vítima".

Um poder incrível é liberado quando falamos com as nossas montanhas. Mas, muitas vezes, falamos com Deus sobre quão grandes são as nossas montanhas, quando deveríamos estar falando com as nossas montanhas sobre quão grande é o nosso Deus.

Quanto mais você falar sobre a montanha, mais fraco você se tornará. "Bem, Joel", você pode dizer, "esta doença ou estes problemas jurídicos ou estes problemas matrimoniais não estão melhorando". Ao falar assim, tudo o que você faz é diminuir sua fé e sua energia. Pare de falar *sobre* a montanha e comece a falar *com* a montanha.

Declare para esse câncer ou vício ou desafio financeiro o que Davi declarou para Golias: "Vou derrotá-lo". Vemos esse princípio desde o início da Bíblia. O livro de Gênesis diz que a Terra era sem forma e vazia. Havia escuridão por toda a parte. Não é curioso que as coisas não tenham mudado pelo simples fato de a Presença de Deus estar ali? O mundo não melhorou só por que Deus pensou: *Eu gostaria de ter um mundo. Queria que tudo ficasse em ordem.*

Nada aconteceu até que Deus falou. Na tradução para o inglês do livro de Gênesis, quando Deus fala à escuridão, lemos: "Deixe que haja luz". Pense na palavra *deixe*. Essa palavra indica que algo estava se opondo à luz. Se eu disser: "Deixe a minha mão", isso significa que você a está segurando ou está se opondo ao que eu estou tentando fazer. Deus declarou em meio à escuridão, em meio à oposição: *Deixe que haja luz.*

Ao passar por momentos difíceis, nos quais tudo está escuro e sombrio, você deve declarar luz sobre a situação. Certo dia, depois do culto, um homem me disse que a sua empresa de design gráfico estava fracassando. Ele havia perdido seus melhores clientes e a falência parecia inevitável. Ele me explicou em detalhes todos os contratempos que sofreu e como as coisas estavam mal e pareciam irreversíveis. Ele era realmente muito bom em falar sobre o problema. Eu lhe disse o que estou dizendo a você: "Você deve falar *com* o problema. Você deve declarar luz em meio à escuridão". Eu o encorajei a declarar durante todo o dia: "Eu sou abençoado. O favor de Deus está transformando esta situação. O favor de Deus está me trazendo novos clientes. Dívida e carência não podem permanecer em minha vida. Eu ordeno que essas montanhas sejam removidas".

Eu o vi cerca de seis meses depois, e ele estava radiante de alegria. Ele disse: "Joel, fiz exatamente o que você sugeriu. Comecei declarando favor sobre a minha vida, falando com as minhas montanhas e declarando luz no meio da escuridão".

Em seu pior momento, quando parecia certo que o negócio estava falido, ele recebeu de repente um telefonema de uma empresa com a qual nunca tinha feito negócio antes. Pediram-lhe para fazer uma apresentação, e ele fez isso. Eles o contrataram para fazer seus gráficos. Agora, esse novo cliente traz mais negócios do que todos os seus outros clientes juntos. Ele está a caminho de ter um ano muito bom.

Quero dizer o seguinte: acredito que ele ainda estaria passando por dificuldades, talvez até já tivesse perdido a empresa, se não tivesse colocado a fé em ação e começado a falar com suas montanhas.

Deixe-me perguntar a você: há montanhas retendo você hoje? Há algo impedindo que o melhor de Deus aconteça em sua carreira, seus relacionamentos ou sua saúde? Sua mente pode lhe dizer que as montanhas são permanentes e que isso nunca vai mudar. Meu desafio para você é: fale com as suas montanhas. Você já orou sobre esse assunto por tempo suficiente. Agora é hora de declarar: "Montanha, você está removida. Você não vai me derrotar. Declaro o favor de Deus sobre esta situação".

Lembre-se de que a sua montanha responderá à sua voz. Não há nada mais poderoso do que você declarar vitória sobre a própria vida. Você provavelmente já falou sobre a montanha por tempo suficiente, mas, agora, você precisa falar com a montanha. Levante-se e declare à sua doença ou conflito ou depressão: "Seja removido, você já era".

Quando fizer isso, você irá superar os obstáculos. Você superará os obstáculos que antes pareciam permanentes e realizará os sonhos que considerava impossíveis de serem realizados.

Faça estas declarações finais comigo:

"Declaro que eu caminho sob a bênção do Deus Todo-Poderoso. Sou cheio de sabedoria. Faço boas escolhas. Tenho direções claras."

"Declaro que eu sou abençoado com criatividade, boas ideias, coragem, força e capacidade."

"Declaro que eu sou abençoado com boa saúde, uma boa família, bons amigos e uma vida longa."

"Declaro que eu sou abençoado com promoções, sucesso, um coração obediente e uma perspectiva positiva."

"Declaro que onde quer que eu coloque as minhas mãos prosperarei e terei sucesso. Serei abençoado na cidade e no campo. Serei abençoado quando eu entrar e quando sair."

"Declaro que eu não vou emprestar nem tomar emprestado, e estarei por cima e não por baixo."

"Declaro agora mesmo que toda palavra negativa, toda maldição que já foi falada contra mim, é quebrada no nome de Jesus."

"Declaro que as heranças negativas que estiveram na minha família, ainda que por gerações, já não têm nenhum efeito sobre mim."

"Declaro que deste dia em diante eu vou experimentar um novo sentido de liberdade, uma nova felicidade e uma nova realização."

"Declaro que eu sou ABENÇOADO!"

Acredito que as coisas estão se movendo no reino espiritual. As maldições foram quebradas e as bênçãos estão indo ao seu encontro. Comece a esperar coisas boas. Aprenda a declarar regularmente essas palavras de bênção sobre si mesmo, sobre seus filhos, sobre suas finanças, sobre sua saúde e sobre seu futuro.

Se você usar suas palavras para declarar vitória, e não derrota, verá Deus fazer coisas incríveis, e acredito que viverá a vida abundante, triunfante, cheia de fé que Ele reservou para você.